一問一答

英検®

3級

完全攻略問題集

音声
DL版

JN015657

高橋書店

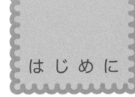

はじめに

　英検®が初めて実施されてから約60年がたちました。今では年間受験者数が420万人を超え，試験内容は『より実用的』に進化し続けています。

　英検®3級は多くの中学生・高校生が受験しています。試験では「中学卒業程度」のレベルから，基本的な英語力を試す問題が出題されます。
　つまり
①「助動詞」「進行形」「現在完了」「受動態」「不定詞」など必要な「英語文法の基本」の理解が試される
②リスニングで日常生活での「聞く力」が試される
③二次試験の面接は，会話での「対応力」や「会話力」が試される
ことから，英検®3級合格はいわゆる「読む」「聞く」「話す」「書く」の基本的な英語力を備えていることの証といえます。

　本書は，短期間で確実に英検®3級合格を目指す皆さんのために，練習問題，模擬試験，単熟語&文法集をまとめた問題集です。掲載問題の選択肢は，できる限り**3級必須単語で構成**しました。そのため本番の問題より難しく感じるかもしれません。しかし，3級合格のための効率学習には，けっして無駄にならないはずです。
　本冊で問題を解いて知らない単語があれば，別冊の「頻出単熟語」で確認してください。また別冊では「重要文法」「頻出会話表現」などもまとめて確認できます。
　3級の文法は，英語を学ぶうえで非常に重要なので，分からない項目はぜひ別冊で確認し，しっかり理解してください。

　本書を有効活用した皆さんが，英検®3級試験に晴れて合格されることを切に願っております。

著　者

CONTENTS ◆ 目次

第1章　分野別一問一答問題

Part 1　短文の語句空所補充　10

Part 2　会話文の文空所補充　42

Part 3　長文の内容一致選択　50

Part 4　ライティング　72

本文デザイン／有限会社 エムアンドケイ　　イラスト／森 海里，上丸 健
編集協力／株式会社 一校舎，株式会社 カルチャー・プロ，株式会社 明昌堂，株式会社 内外プロセス
音声作成／有限会社 スタジオユニバーサル　　校正／株式会社 鷗来堂，株式会社 ぶれす

英検®受験のポイント

※試験内容などは変わる場合があります。

　3級のレベルは，中学卒業程度とされています。5級・4級で習得してきた基礎力の集大成の級で，身近な英語を理解し使用できることが求められます。

　一次試験は筆記とリスニングに分かれ，合格すると二次試験の受験資格が与えられます。

　二次試験は面接形式のスピーキングテストとなります。

一次試験

筆記

求められる おもな能力	形式	内容	問題文の 種類	解答形式
語彙・ 文法力	短文の語句 空所補充	文脈に合う適切な語句を補う	短文 会話文	4肢選択 (選択肢印刷)
読解力	会話文の文 空所補充	会話文の空所に，適切な文や語句を補う	会話文	
	長文の内容 一致選択	パッセージの内容に関する質問に答える	提示・案内, Eメール (手紙文) 説明文	
作文力	Eメール	返信メールを英文で書く	Eメール	記述式
	英作文	英語の質問に対して英作文を書く	——	

リスニング

	形式	内容	問題文の種類	解答形式
聴解力	会話の応答文 選択	会話の最後の発話に対する応答として最も適切なものを補う (放送回数1回，補助イラストつき)	会話文	3肢選択 (選択肢読み上げ)
	会話の内容 一致選択	会話の内容に関する質問に答える (放送回数2回)		4肢選択 (選択肢印刷)
	文の内容 一致選択	短いパッセージの内容に関する質問に答える (放送回数2回)	物語文 説明文	

二次試験

英語での面接形式のスピーキングテスト

求められる おもな能力	形式	内容	解答形式
発話力	音読	30語程度のパッセージを読む	個人面接 面接委員1人 (応答内容, 発音, 語彙, 文法, 語法, 情報量, 積極的にコミュニケーションを図ろうとする意欲や態度などの観点で評価
	パッセージについての質問	音読したパッセージの内容についての質問に答える	
	イラストについての質問	イラスト中の人物の行動や物の状況を描写する	
	受験者自身の意見など	日常生活の身近な事柄についての質問に答える (カードのトピックに直接関連しない内容も含む)	

●試験日程

	＜一次試験＞	＜二次試験＞
第1回	5月下旬〜6月上旬	7月上旬〜7月中旬
第2回	9月下旬〜10月上旬	11月上旬〜11月中旬
第3回	1月中旬〜1月下旬	3月上旬

●一次試験免除について

　一次試験に合格し，二次試験を棄権あるいは二次試験が不合格だった場合，一次試験が1年間免除され，次回は二次試験から受験できます。ただし，申し込み時に申請が必要です。

●申し込み方法

　インターネット，コンビニエンスストア，英検®特約書店から申し込めます。

※S-CBT試験については，公益財団法人 日本英語検定協会のホームページをご参照ください。
※英検®は，公益財団法人 日本英語検定協会の登録商標です。

◆◆◆ 本書の特長 ◆◆◆

1 ▶ テーマ別に学べる〈分野別一問一答式問題〉

実際の本試験で出題される形式に沿ってパート分けして
います。問題を解いたあと，解答・解説をすぐに確認でき
る一問一答式で，学習を効率的に進められます。

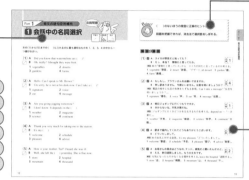

ポイントをつかむ！
テーマごとに学習上の
注意点や，問題を解く
ためのポイントを示し
ています。

テーマで攻略！
問題は過去問を分析
し，よく出題される重
要なテーマ別にまとめ
ています。

**赤チェックシートで
隠して学べる！**
解答と選択肢などの日
本語訳は文字色を赤く
しています。

2 ▶ 本番形式の模擬試験

一問一答式の問題を解き終えたら，学習の仕上げとして
本番形式の模擬試験を解きましょう。
時間を計り，本試験と同じ時間内で解く練習もできます。

3 ▶ 別冊 頻出単熟語＆文法

３級頻出単熟語と重要文法を別冊に
まとめています。
頻出単語には関連語や派生語も併記
しています。まとめて覚えると，効率
よく語彙力がアップします。
また，重要文法には押さえておくべ
き文法ポイントをまとめているので，
基礎固めに役立ちます。

第 1 章

分野別
一問一答問題

Part 1 短文の語句空所補充

● POINT

※試験内容などは変わる場合があります

形　式	短文の空所に補充する語を４つの選択肢の中から１つ選ぶ
問題数	15問（一次試験全体の20％以上）
目標時間	8分程度。1問を平均30秒で解くイメージ
傾　向	問題は大きく「品詞」「熟語」「文法」の3種類。問題数の目安は，品詞8問・熟語4問・文法3問
対　策	出題は，文にぴったり合う単語や熟語の選択。そのために欠かせない，語彙力と基本文法の知識をきちんと習得しよう！

品詞問題

テクニック❶　単語は関連語，変化形もまとめて覚える！

　品詞問題では，英文にぴたりとはまる語を4つの選択肢から選び出さないといけません。そのためには，できるだけ多くの単語を知っている必要があります。

　簡単にたくさんの単語を覚えるため，別冊に3級頻出単語を関連語，変化形などとともに掲載しています。これを活用してどんどん単語を覚えてください。その際には，choose「選ぶ（動詞）」であれば，派生語 choice「選択（選択・チョイス）」や変化形 choose-chose-chosen なども同時に覚えてしまえば，別々に学習するより少ない労力で身につきます。

　派生語のほか反意語，類義語などをまとめて覚え，短期間で語彙を確実に増やしましょう。

テクニック❷　前後の単語とのつながりから正解を導く！

　問題を解くときは，英文全体を訳し，当てはまる意味の単語を選ぶのが理想ですが，知らない単語があるなどして全体を理解できないこともあります。そのようなときは，空所前後の単語とのつながりから正解を考えます。

　例えば … the main (　) of the library … という問題で，選択肢が

1. planet　**2.** entrance　**3.** horizon　**4.** typhoon

であれば，（　）の前後が「図書館のおもな」なので entrance「入口・玄関」とつながり，選択肢 **2** が正解と導けます。

　選択肢が名詞なら直前の形容詞，動詞なら直後の目的語との意味のつながりに注目しましょう。

熟語問題

テクニック❸　前後の単語と合う熟語を探す！

　熟語問題では，熟語の一部を選択肢から選びます。文全体の意味が分からなくても，テクニック❷を応用すれば，前後の単語から正解を得られます。

　例えば問題が The box was (　) with candy, で，選択肢が

1. moved　**2.** turned　**3.** filled　**4.** killed

の場合，前後の意味は「その箱はキャンディで…」となり，また be filled with ～「～でいっぱいだ」の意味なので，選択肢 **3** が正解（The box was filled with candy.）と分かります。

　熟語はとにかくたくさん覚えるしかありません。その際に非常に有効な方法が，**熟語を使った短文の丸暗記**です。熟語を短文で覚えておけば，意味だけでなくその熟語がどんな場面で使われるかも同時に押さえられます。別冊には，３級頻出熟語を例文と並記しています。ぜひ活用してください！

文法問題

テクニック❹　中学で習う基本文法をマスターしよう！

　文法問題では，現在完了を含む時制，受動態，関係代名詞，不定詞，比較級など，中学校で学習する内容から幅広く出題されます。次の例題を見てみましょう。

This T-shirt is (　) than that one.

1. cheap　**2.** cheaply　**3.** cheapest　**4.** cheaper

　これは比較級の問題です。（　）のすぐ後ろに than があるので，仮に cheap の意味が分からなくても，〈形容詞の比較級＋ than ～〉で「～よりも…」との文法知識から，選択肢中から比較級 cheaper を選び，選択肢 **4** が正解だと導けます。

　３級では，**基本的な文法をしっかりと理解**しておくことが大切です。別冊によく出題される文法問題をまとめてあるので，文法に不安のある方は確認しましょう。

テーマ 1 会話中の名詞選択

学習日	目標時間 1問	得点
/	**30**秒	/5 合格点3点

次の(1)から(5)までの( )に入れるのに最も適切なものを 1, 2, 3, 4 の中から一つ選びなさい。

(1) A : Did you know that watermelons are ( )?
　　B : Oh, really? I thought they were fruit.

　　1. vegetables 　　　　**2.** deserts
　　3. gardens 　　　　　**4.** farms

(2) A : Hello. Can I speak to Mr. Brown?
　　B : I'm sorry, he is not at his desk now. Can I take a ( )?

　　1. signature 　　　　**2.** voice
　　3. ear 　　　　　　　**4.** message

(3) A : Are you going jogging tomorrow?
　　B : I don't know. It depends on the ( ).

　　1. weather 　　　　**2.** magazine
　　3. science 　　　　**4.** continent

(4) A : Thank you very much for taking me to the station.
　　B : It's my ( ).

　　1. welcome 　　　　**2.** schedule
　　3. pleasure 　　　　**4.** advice

(5) A : How is your mother, Ted? I heard she was ill.
　　B : Well, she left the ( ) yesterday. She is fine now.

　　1. store 　　　　　**2.** hospital
　　3. mountain 　　　**4.** thousand

Point!

（　）のないほうの発言に正解のヒントがある！

話題を把握できれば，消去法で選択肢をしぼれる。

解答と解説

(1) 訳 A：スイカが野菜だと知ってた？

B：えっ，本当？　果物だと思ってたわ。

正解 **1**

解説 B の「果物だと思っていた」から，スイカが何だと言っているのか考える。**1.** vegetable「野菜」　**2.** desert「砂漠」，「デザート」は dessert　**3.** garden「庭」　**4.** farm「農場」。

(2) 訳 A：もしもし。ブラウンさんをお願いできますか。

B：申し訳ありません，今席にいません。伝言を伺いましょうか？

正解 **4**

解説 電話の相手に伝言の有無をたずねる表現。Can I take a message?「伝言を伺いましょうか？」。**1.** signature「署名」　**2.** voice「声」　**3.** ear「耳」　**4.** message「伝言」。

(3) 訳 A：明日ジョギングに行くつもりですか。

B：分からないな。天気次第だね。

正解 **1**

解説 ジョギングに行くかどうかを左右するものを考える。depend on ～「～次第だ」。**1.** weather「天気」　**2.** magazine「雑誌」　**3.** science「科学」　**4.** continent「大陸」。

(4) 訳 A：駅まで案内してくれてどうもありがとうございます。

B：どういたしまして。

正解 **3**

解説 A のお礼に対する返答。It's my pleasure.「どういたしまして」。**1.** welcome「歓迎」　**2.** schedule「予定」　**3.** pleasure「喜び」　**4.** advice「助言」。

(5) 訳 A：お母さんの具合はどうなの，テッド。病気だと聞いたんだけど。

B：ええ，昨日退院しました。もう大丈夫です。

正解 **2**

解説 元気になったら行かなくなる場所を考える。leave the hospital「退院する」。**1.** store「店」　**2.** hospital「病院」　**3.** mountain「山」　**4.** thousand「千」。

Part 1 短文の語句空所補充

テーマ
2 文章中の名詞選択

品詞問題

学習日 ／
目標時間 1問 **30**秒
得点 ／5 合格点3点

次の(1)から(5)までの(　)に入れるのに最も適切なものを 1，2，3，4 の中から一つ選びなさい。

(1) The teacher knows everything about his (　). But he is not good at teaching it.

1. tour **2**. library
3. alarm **4**. subject

(2) Many people go to restaurants. They can enjoy many kinds of (　) on the menu.

1. prices **2**. foods
3. models **4**. toys

(3) There was an (　) when I was at school yesterday. Our teacher told us to get under our desks.

1. earthquake **2**. race
3. travel **4**. wedding

(4) I am looking forward to going skiing in Nagano for a week on my winter (　).

1. island **2**. beach
3. vacation **4**. design

(5) A policeman said that we couldn't drive down the street in the afternoon. I thanked him for the (　).

1. information **2**. tool
3. system **4**. hour

art 1

短文の語句空所補充

Point! カタカナ語になっている名詞も多い。読みから意味を類推しよう！

2文ある場合は，（　　）のないほうにヒントがある！

解答と解説

(1) 訳 その教師は自分の教科については何でも知っている。しかし，彼は教えるのが得意ではない。　正解 **4**

解説 教師がよく知っていて，教えるのは自分の何であるかを考える。be good at ～「～が得意だ」。

1. tour「旅行」　2. library「図書館」　3. alarm「警報」　4. subject「教科，主題」。

(2) 訳 多くの人々がレストランに行く。彼らはメニューに載っている多くの種類の料理を楽しむことができる。　正解 **2**

解説 レストランで楽しめるものが何かを考える。

1. price「価格」　2. food「食べ物，料理」　3. model「模型」　4. toy「おもちゃ」。

(3) 訳 昨日学校にいるとき，地震があった。先生は私たちに机の下にもぐるように命じた。　正解 **1**

解説 選択肢から先生が机の下にもぐるように言う状況を探す。at school「学校で」。

1. earthquake「地震」　2. race「競争」　3. travel「旅行」　4. wedding「結婚式」。

(4) 訳 私は冬休みに1週間，長野でスキーをするのを楽しみにしています。　正解 **3**

解説 スキーに行くのはどんなときか考える。look forward to *do*ing「～するのを楽しみに待つ」。

1. island「島」　2. beach「海辺」　3. vacation「休み」　4. design「デザイン」。

(5) 訳 警官が，午後はその通りは通行できないと言った。私はその情報に対し彼に感謝した。　正解 **1**

解説 警官の話した内容を言い換えたものを，選択肢から探す。

1. information「情報」　2. tool「道具」　3. system「制度」　4. hour「時間」。

テーマ **3** 会話中の動詞選択

品詞問題

学習日	目標時間 1問 **30**秒	得点 /5 合格点3点

次の(1)から(5)までの(　)に入れるのに最も適切なものを 1，2，3，4 の中から一つ選びなさい。

(1) A：Excuse me, but could you (　) me the way to the post office?
　　B：Sure. Please go down this street. You will find it on your right in five minutes.

1. make　　　　**2.** finish　　　　**3.** point　　　　**4.** tell

(2) A：I hear you are going to the school festival with your friends this weekend.
　　B：Yes, I can't (　).

1. fly　　　　**2.** wait　　　　**3.** arrive　　　　**4.** record

(3) A：I enjoyed my stay in your house for a week. Thank you for your kindness.
　　B：I (　) I'll see you soon.

1. hope　　　　**2.** sound　　　　**3.** bake　　　　**4.** trick

(4) A：It's already 10:00 P.M. Please (　) the curtain, Alice.
　　B：OK. Good night, Mom.

1. grow　　　　**2.** enjoy　　　　**3.** shut　　　　**4.** place

(5) A：I'm sure you will (　) the exam.
　　B：Thank you, Yuriko. I hope so.

1. understand　　　　**2.** feel
3. advise　　　　　　**4.** pass

Point! 会話をきちんと訳し，先に日本語で当てはまる動詞を考える。

選択肢の動詞はすべて重要単語なので覚えよう！

解答と解説

(1) 訳 A：すみませんが，郵便局までの道を教えてくれませんか。

B：いいですよ。この道をまっすぐ行ってください。5分で右側に見つかりますよ。

 正解 **4**

解説 道をたずねるときの決まり文句。in five minutes「5分以内に」。

1. make「作る，する」 **2.** finish「終える」 **3.** point「向ける，指す」 **4.** tell「教える，伝える」。

(2) 訳 A：週末に友達と学園祭に行くって聞いたんだけど。

B：ええ，待ちきれないわ。

正解 **2**

解説 学園祭に行くのをどう感じているか考える。

1. fly「飛ぶ」 **2.** wait「待つ」 **3.** arrive「到着する」 **4.** record「記録する」。

(3) 訳 A：1週間あなたの家に滞在できて楽しかったわ。ご親切にどうもありがとう。

B：すぐまたお会いできるのを楽しみにしています。

 正解 **1**

解説 別れ際の会話であることに注目。

1. hope「期待する」 **2.** sound「聞こえる」 **3.** bake「焼く」 **4.** trick「だます」。

(4) 訳 A：もうすでに10時よ。カーテンを閉めてくれない，アリス。

B：分かったわ。おやすみなさい，ママ。

 正解 **3**

解説 夜になったらカーテンをどうするかを考える。

1. grow「育てる」 **2.** enjoy「楽しむ」 **3.** shut「閉める」 **4.** place「置く」。

(5) 訳 A：あなたがその試験に受かると信じているわ。

B：ありがとう，ユリコ。そうだといいんだけど。

 正解 **4**

解説 空所直後の exam，B の「ありがとう」という返答から考える。

1. understand「理解する」 **2.** feel「感じる」 **3.** advise「助言する」 **4.** pass「合格する」。

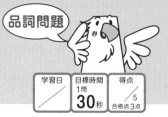

Part 1 　短文の語句空所補充 〔品詞問題〕

テーマ 4 文章中の動詞選択

学習日	目標時間 1問 30秒	得点 /5 合格点3点

次の(1)から(5)までの(　)に入れるのに最も適切なものを 1，2，3，4 の中から一つ選びなさい。

(1) Fred couldn't come to my house because he was sick. So I (　) to go to the library alone.
1. knocked
2. painted
3. gave
4. decided

(2) Ann was happy because she (　) her lost cap in the park.
1. sent
2. found
3. greeted
4. sold

(3) Keiko got a mail from Jim last Saturday. It (　) that he would come to Japan next month.
1. said
2. wore
3. drove
4. entered

(4) Tracy (　) me pictures of her family. I found that she had two brothers.
1. spoke
2. showed
3. threw
4. tried

(5) Cathy told me not to (　) to meet her at the station.
1. learn
2. ride
3. storm
4. forget

18

Point! 時制の変化，不規則動詞の変化に注意！

知らない単語があったら，消去法でしぼり込もう！

解答と解説

(1) 訳 フレッドは病気のせいで私の家に来ることができなかった。そこで私は1人で図書館に行くことに決めた。 正解 **4**

[解説] 友人が来られなかったので1人で図書館に行くことをどうしたか考える。because ～「～だから」。

1. knock「打つ，ノックする」 **2**. paint「（絵を）描く」 **3**. gave は give「与える」の過去形 **4**. decide「決める」，decide to *do*「～することを決める」。

(2) 訳 アンはなくした帽子を公園で見つけたのでうれしかった。 正解 **2**

[解説] なくした帽子がどうなったらうれしいか考える。

1. sent は send「送る」の過去形 **2**. found は find「発見する」の過去形 **3**. greet「あいさつする」 **4**. sold は sell「売る」の過去形。

(3) 訳 ケイコは先週の土曜日ジムからメールを受け取った。そこには彼が来月，日本に来ると書いてあった。 正解 **1**

[解説] 2文目の It は「受け取ったメール」を指す。「（メールに）書いてあった」と表せる動詞を探す。get a mail「メールが届く」。

1. say「言う，書いてある」 **2**. wore は wear「身につけている」の過去形 **3**. drove は drive「運転する」の過去形 **4**. enter「入る」。

(4) 訳 トレーシーは私に自分の家族の写真を見せた。彼女には2人の兄弟がいることが分かった。 正解 **2**

[解説] 写真をどうすれば家族構成が分かるのか考える。

1. spoke は speak「話す」の過去形 **2**. show「見せる」 **3**. threw は throw「投げる」の過去形 **4**. try「試す」。

(5) 訳 キャシーは私に，駅で彼女と会うことを忘れないようにと言った。 正解 **4**

[解説] キャシーが「駅で会う約束」をどうしないように言ったのかを考える。

1. learn「学ぶ」 **2**. ride「乗る」，ride a bike「自転車に乗る」 **3**. storm「（天気が）荒れる」 **4**. forget「忘れる」，forget to *do*「～することを忘れる」。

テーマ **5** 会話中の形容詞選択

学習日　／

目標時間
1問
30秒

得点
／5
合格点3点

次の(1)から(5)までの(　　)に入れるのに最も適切なものを 1, 2, 3, 4 の中から一つ選びなさい。

(1) **A**：Why didn't this door open?

B：You used the (　　) key.

1. wrong　　　**2**. perfect　　　**3**. late　　　**4**. dark

(2) **A**：What's the matter with your sister? She has been (　　) from school for five days.

B：She broke her leg.

1. ready　　　　　　**2**. homesick

3. sunny　　　　　　**4**. absent

(3) **A**：Mom, I'm (　　). Do you have anything to eat?

B：Well, there are some cookies on the table.

1. sweet　　　**2**. hungry　　　**3**. full　　　**4**. afraid

(4) **A**：Jack, you don't look (　　). What's wrong with you?

B：I've had a headache since last night.

1. tired　　　**2**. lost　　　**3**. well　　　**4**. close

(5) **A**：Wow! Your dog is very pretty.

B：Thanks, Cindy. He is my (　　) dog.

1. sad　　　　　　**2**. wet

3. crowded　　　　　**4**. favorite

> **Point!** 会話の状況，登場人物の心境などが形容詞を選ぶポイント！
>
> （　　）に入る形容詞が修飾する名詞の状況を理解しよう。

解答と解説

(1) 訳 A：何でこのドア開かなかったんだろう。
　　　 B：間違ったかぎを使っていたんだよ。
 正解 **1**

解説 ドアが開かないのはどんなかぎなのか考える。
1. wrong「間違った」　**2.** perfect「完全な」　**3.** late「遅い」　**4.** dark「暗い」。

(2) 訳 A：きみのお姉さんどうしたの。５日間も学校を休んでいるよ。
　　　 B：脚を骨折したんだ。
正解 **4**

解説 脚を骨折したら，学校をどうするか考える。
1. ready「準備できた」　**2.** homesick「ホームシックの」　**3.** sunny「晴れた」
4. absent「欠席の」，be absent from ～「～を欠席する」。

(3) 訳 A：母さん，おなかがすいたよ。何か食べるものない？
　　　 B：それならテーブルにクッキーがあるわよ。
正解 **2**

解説 A は食べるものを探しているので，おなかがすいていると考える。
1. sweet「甘い」　**2.** hungry「空腹な」　**3.** full「いっぱいの」　**4.** afraid「怖がって」。

(4) 訳 A：ジャック，元気がないね。何かあったの？
　　　 B：昨日の夜から頭が痛いんだ。
正解 **3**

解説 What's wrong with ～？で「～に何かありましたか」と相手を心配する表現。
1. tired「疲れた」　**2.** lost「道に迷った」　**3.** well（形容詞）「健康な」　**4.** close（形容詞）「近い」。

(5) 訳 A：うわぁ，あなたの犬とてもかわいいわね。
　　　 B：ありがとう，シンディ。私のお気に入りの犬なの。
正解 **4**

解説 B にとってどんな犬なのか考える。
1. sad「悲しい」　**2.** wet「ぬれた」　**3.** crowded「混雑した」　**4.** favorite「お気に入りの」。

テーマ 6 文章中の形容詞選択

| 学習日 | 目標時間 1問 **30**秒 | 得点 /5 合格点3点 |

次の(1)から(5)までの（　　）に入れるのに最も適切なものを 1，2，3，4 の中から一つ選びなさい。

(1) Erica heard that Nicolas's father was sick in bed, so she felt (　　).
 1. sorry 　　　　 **2**. usual
 3. fine 　　　　 **4**. delicious

(2) When Cindy went into the museum, she found a (　　) writer and she talked to him.
 1. less 　　　　 **2**. deep
 3. half 　　　　 **4**. famous

(3) We must be kind to the (　　). They sometimes need help from young people.
 1. silent 　　　　 **2**. elderly
 3. low 　　　　 **4**. dear

(4) The dish was not (　) and Mike's mother asked him to wash it.
 1. safe 　　　　 **2**. warm
 3. clean 　　　　 **4**. next

(5) There was a Christmas party at my friend's house. We gave presents to (　) other.
 1. such 　　　　 **2**. one
 3. just 　　　　 **4**. each

Point! 選択肢の形容詞はすべて重要単語なので覚えよう。

(5)one another, each other など，似た形に注意！

解答と解説

(1) 訳 エリカはニコラスの父親が病気で寝ていると聞いたので，気の毒に思った。 正解 **1**

解説 ニコラスの父が病気と聞いてどう感じたかを考える。

1. sorry「残念な」，feel sorry「気の毒に思う」 **2.** usual「ふだんの」 **3.** fine「すばらしい」 **4.** delicious「おいしい」。

(2) 訳 シンディが博物館に入ったとき，有名な作家がいたので，彼女は話しかけた。 正解 **4**

解説 相手がどんな作家だったからシンディが話しかけたのかを考える。talk to ～「～に話しかける」。

1. less「より少ない」 **2.** deep「深い」 **3.** half「半分の」 **4.** famous「有名な」。

(3) 訳 お年寄りには親切にしなければならない。彼らには，ときには若い人からの助けが必要だ。 正解 **2**

解説 どのような人に親切にしなければならないのかを考える。〈the ＋形容詞〉で「～な人」。the rich「お金持ち」。

1. silent「静かな」 **2.** elderly「お年寄りの」（old「古い，年とった」より丁寧な言い方） **3.** low「低い」 **4.** dear「親愛なる」。

(4) 訳 お皿はきれいではなかったので，マイクの母親は彼に洗うよう頼んだ。 正解 **3**

解説 お皿を洗うのは，どんなときか。

1. safe「安全な」 **2.** warm「暖かい」 **3.** clean「きれいな」 **4.** next「次の」。

(5) 訳 私の友人の家でクリスマスパーティーがあった。私たちはお互いにプレゼントを贈った。 正解 **4**

解説 クリスマスパーティーではプレゼントをどのように贈るか考える。

1. such「そんな」 **2.** one another「お互いに」 **3.** just「公正な，当然の」

4. each「それぞれの」，each other「お互いに」。

テーマ 7 文章中の副詞選択

学習日 ／ ｜ 目標時間 1問 **30**秒 ｜ 得点 ／5 合格点3点

次の(1)から(5)までの( )に入れるのに最も適切なものを 1，2，3，4 の中から一つ選びなさい。

(1) Makiko likes to take a walk every morning. She gets up early ( ) on holidays.

   1. around   **2**. suddenly

   3. even   **4**. hardly

(2) Living ( ) is the best way to learn a foreign language. I will go to Canada next year.

   1. before   **2**. badly

   3. strongly   **4**. abroad

(3) Megumi asked Keita a question about English. It was ( ) hard, so it took him ten minutes to answer.

   1. early   **2**. pretty

   3. heavily   **4**. angrily

(4) Betty had to clean her classroom ( ) because the other students weren't in the classroom.

   1. alone   **2**. overseas

   3. loudly   **4**. online

(5) Sachiko came home from school an hour ago. She hasn't finished her homework ( ).

   1. yet   **2**. still

   3. often   **4**. never

副詞は修飾する動詞・形容詞と意味がどうつながるか
を考える！

文章全体から状況を把握しよう。

解答と解説

(1) 訳 マキコは毎朝散歩をするのが好きだ。休みの日でさえ彼女は早起 正解 **3**
きする。

解説 毎朝散歩をする人が，「休みの日（　）早起きする」の空所を考える。

1. around「まわりを」　**2**. suddenly「突然」　**3**. even「～でさえ」　**4**. hardly「ほ
とんど～ない」。

(2) 訳 海外で暮らすことが，外国語の勉強に最もよい方法だ。私は来年 正解 **4**
カナダに行く予定だ。

解説 「（　）で暮らすこと」なので，場所を表す副詞を探す。

1. before「以前に」　**2**. badly「ひどく」　**3**. strongly「強く」　**4**. abroad「海外
で」。

(3) 訳 メグミはケイタに英語についての質問をした。それはかなり難し 正解 **2**
かったので，答えるのに 10 分かかった。

解説 答えるのに 10 分かかる問題はどういう問題かを考える。

1. early「早くに」　**2**. pretty「かなり」　**3**. heavily「重く」　**4**. angrily「怒って」。

(4) 訳 ベティは教室を 1 人で掃除しなければならなかった。というのは， 正解 **1**
ほかの生徒たちは教室にいなかったからだ。

解説 ほかに人がいないとき，どのように掃除するのか考える。

1. alone「1 人で」　**2**. overseas「海外で」　**3**. loudly「大声で」　**4**. online「オン
ラインで，インターネットで」。

(5) 訳 サチコは 1 時間前に学校から帰ってきた。彼女はまだ宿題を終わ 正解 **1**
らせていない。

解説 否定文で「まだ～だ」となる単語を選ぶ。

1. yet「まだ（～ない）」　**2**. still「まだ，なお」　**3**. often「しばしば」　**4**. never
「けっして～ない」。

テーマ 8 会話中の熟語の動詞選択

学習日	目標時間 1問 **30**秒	得点 /5 合格点3点

次の(1)から(5)までの(　　)に入れるのに最も適切なものを 1，2，3，4 の中から一つ選びなさい。

(1) **A**：Siori (　　) from Ohio University.
B：Wow. So she is a good English speaker, isn't she?

1. graduated　　　　　　**2**. picked
3. reported　　　　　　　**4**. slept

(2) **A**：What does EU mean?
B：It (　　) for the European Union.

1. comes　　　　　　　　**2**. cuts
3. sits　　　　　　　　　**4**. stands

(3) **A**：Do you like your new desk, Akemi?
B：Yes. I'm (　　) with it.

1. visited　　　　　　　**2**. interested
3. satisfied　　　　　　**4**. collected

(4) **A**：Don't you think Saki is cold?
B：No, I don't think so. She was kind enough (　　) me to the station.

1. take　　　　　　　　**2**. to take
3. taking　　　　　　　**4**. to taking

(5) **A**：Have you ever (　　) to Hokkaido, Ken?
B：No, not yet. But I'm going there next year.

1. went　　　　　　　　**2**. gone
3. been　　　　　　　　**4**. were

解答と解説

(**1**) 訳 A：シオリはオハイオ大学を卒業したのよ。
　　　 B：わあ。それで英語が上手なんだね。

正解 **1**

[解説] シオリが英語が上手なのはどうしてか考える。
1. graduate「卒業する」, graduate from ～「～を卒業する」　**2**. pick「つつく，選ぶ」　**3**. report「報告する」　**4**. slept は sleep「眠る」の過去形。

(**2**) 訳 A：ＥＵって何を意味するの。
　　　 B：ヨーロッパ連合って意味だよ。

正解 **4**

[解説] ＥＵが何の略かを聞かれて答えているので，mean「～を意味する」の言い換えを探す。
4. stand for ～「～を意味する」。

(**3**) 訳 A：新しい机は気に入った，アケミ？
　　　 B：はい。満足しています。

正解 **3**

[解説] 新しい机は気に入ったかという問いに「はい」と答えているので，「満足している」という意味の選択肢 **3** が正解。
1. visit「訪問する」　**2**. be interested in ～「～に興味がある」　**3**. be satisfied with ～「～に満足する」　**4**. collect「集める」。

(**4**) 訳 A：サキって冷たいと思わない？
　　　 B：いや，そうは思わないよ。彼女はぼくを駅まで連れていってくれるほど親切だったよ。

正解 **2**

[解説] 「駅に連れていってくれるほど親切だった」となるのは選択肢 **2** の〈形容詞＋ enough to *do*〉「…するのに十分なほど～だ」。

(**5**) 訳 A：北海道に行ったことがありますか，ケン。
　　　 B：いいえ，まだありません。でも来年行く予定です。

正解 **3**

[解説] 「行ったことがある」という「経験」を表すのは「現在完了」。
3. have been to ～「～に行ったことがある」。

9 文章中の熟語の動詞選択

| 学習日 | 目標時間 1問 **30**秒 | 得点 /5 合格点3点 |

次の(1)から(5)までの(　)に入れるのに最も適切なものを 1，2，3，4 の中から一つ選びなさい。

(1) It was raining so hard. I didn't feel like (　) out for a walk.
　1. go　　　　　　　　**2.** gone
　3. going　　　　　　**4.** to go

(2) The top of the mountain was (　) with snow.
　1. landed　　　　　　**2.** put
　3. shocked　　　　　**4.** covered

(3) Kazuhiko is well (　) to soccer fans.
　1. known　　　　　　**2.** to know
　3. knowing　　　　　**4.** know

(4) When I heard about my mother's illness, I (　) not to go to London.
　1. looked　　　　　　**2.** decided
　3. worked　　　　　　**4.** used

(5) The people of this city are (　) from air pollution.
　1. worrying　　　　　**2.** worried
　3. suffering　　　　　**4.** suffered

Point!

熟語が分からないときは，もともとの動詞の意味から類推しよう！

「熟語 ＋ 時制の変化」などの複雑な問題に気をつけよう！

解答と解説

(1) 訳 雨が激しく降っていた。私は散歩に行く気がなくなった。

解説 雨で散歩に行く気がなくなった。not feel like *do*ing「〜する気がなくなる」を選ぶ。go out for a walk「散歩に出かける」。

3. feel like *do*ing「**〜する気になる**」, not feel like *do*ing「**〜する気がなくなる**」。

(2) 訳 その山の頂上は雪でおおわれていた。

解説 「〜でおおわれている」という意味の熟語を探す。

1. land「上陸させる」 **2**. put「置く」 **3**. shock「ショックを与える」 **4**. cover「おおう」, be covered with 〜「**〜でおおわれている**」。

(3) 訳 カズヒコはサッカーファンによく知られている。

解説 「〜に知られている」という意味になる熟語を選ぶ。

1. be known to 〜「**〜に知られている**」。

(4) 訳 母の病気を知ったとき，ぼくはロンドンに行かないことに決めた。

解説 母の病気を知り，ロンドンに行かないことをどうしたのかを考える。

1. look「見つめる，見る」 **2**. decide「**決める，決心する**」 **3**. work「動かす，働く」 **4**. use「使用する」。

(5) 訳 この町の人々は大気汚染に苦しんでいる。

解説 「町の人々が大気汚染に苦しんでいる」という文を作る。主語の後に are があるので，現在進行形の表現になることに注意。air pollution「大気汚染」。

1.2. worry「心配させる」, be worried about 〜「〜の心配をする」。

3.4. suffer「苦しむ」, suffer from「**〜に苦しむ**」。

テーマ 10 熟語の形容詞選択

学習日　／

目標時間 1問 **30**秒

得点 ／5 合格点3点

次の(1)から(5)までの(　)に入れるのに最も適切なものを1，2，3，4の中から一つ選びなさい。

(1) **A**：Miyuki is so (　) at playing the piano.
　　B：Is she? I didn't know that.

　　　1. loud　　　　　　**2**. good
　　　3. alive　　　　　　**4**. strong

(2) **A**：How do you do? I'm so (　) to meet you.
　　B：Nice to meet you, too. I've heard a lot about you.

　　　1. easy　　　　　　**2**. active
　　　3. glad　　　　　　**4**. busy

(3) His car is (　) to mine. Our cars are the same in color and size.
　　　1. similar　　　　　**2**. right
　　　3. daily　　　　　　**4**. true

(4) I missed the train for the trip last month. I'm (　) of making the same mistake this time.
　　　1. last　　　　　　**2**. afraid
　　　3. heavy　　　　　**4**. elementary

(5) **A**：You had (　) go right now. That airport is always busy.
　　B：I see. Thank you for your advice, Risa.

　　　1. free　　　　　　**2**. sure
　　　3. clever　　　　　**4**. better

Point! 熟語をしっかり覚えていれば，前置詞から正解が分かる！

熟語に続く名詞との意味のつながりを考えよう！

解答と解説

（1）**訳** A：ミユキはピアノを弾くのがとても上手だね。
B：彼女が？　それは知らなかったな。
 正解 **2**
[解説]「ピアノを弾くのが（　　）だ」の空所に入る表現を考える。
1. loud「（声などが）大きい」　**2**. be good at ～「～が上手だ」　**3**. alive「生きている」　**4**. strong「強い」。

（2）**訳** A：はじめまして。お会いできてとてもうれしいです。
B：私も会えてうれしいよ。きみのことはいろいろ聞いているよ。
正解 **3**
[解説] 初対面のあいさつでの頻出表現。
1. easy「簡単な」　**2**. active「活動的な」　**3**. glad「うれしい」，be glad to *do*「～してうれしい」　**4**. busy「忙しい」。

（3）**訳** 彼の車は私のものと似ている。色や大きさが同じだ。
正解 **1**
[解説]「色や大きさ」が同じ2台の車は「似ている」ので，その表現を探す。
1. similar「似ている」，be similar to ～「～に似ている」　**2**. right「正しい」
3. daily「毎日の」　**4**. true「本当の」。

（4）**訳** ぼくは先月，旅行のための電車に乗り遅れた。今回も同じ誤りをしないかと心配だ。
正解 **2**
[解説] 前回の失敗を繰り返すことを「心配している」，という文を作る。miss「～に乗り遅れる」。
1. last「最後の」　**2**. afraid「心配して」，be afraid of ～「～を心配する」
3. heavy「重い」　**4**. elementary「初歩の」。

（5）**訳** A：すぐに出かけたほうがいいわ。あの空港はいつも混んでいるの。
B：分かった。アドバイスどうもありがとう，リサ。
 正解 **4**
[解説] 空港はいつも混んでいるのですぐに出かけた「ほうがよい」というアドバイスをしている。busy「混んでいる」。
1. free「自由な」　**2**. sure「確実な」　**3**. clever「かしこい」　**4**. better「よりよい」，had better *do*「～したほうがよい」。

Part **1** 短文の語句空所補充

テーマ 11 熟語の前置詞選択

学習日 ／　目標時間 1問 **30**秒　得点 ／5 合格点3点

次の(1)から(5)までの(　)に入れるのに最も適切なものを 1，2，3，4 の中から一つ選びなさい。

(1) **A**：Why don't you take part (　) Susan's birthday party?
　　B：Sounds nice. Let's buy a present for her.
　　1. on　　　　　　　　　**2**. in
　　3. at　　　　　　　　　**4**. by

(2) The price of this chocolate is very different (　) that of other stores.
　　1. from　　　　　　　　**2**. to
　　3. of　　　　　　　　　**4**. for

(3) **A**：The club is famous (　) its hard practice.
　　B：I know. One of my friends left it last month.
　　1. about　　　　　　　　**2**. by
　　3. for　　　　　　　　　**4**. of

(4) I was familiar (　) the park. I found the rose garden easily.
　　1. in　　　　　　　　　**2**. at
　　3. from　　　　　　　　**4**. with

(5) **A**：Thank you very much for looking (　) my baby, Kate.
　　B：You are welcome. She was very cute.
　　1. after　　　　　　　　**2**. like
　　3. out　　　　　　　　　**4**. up

Point! 熟語はかたまりで前置詞までしっかり覚える！

別冊（p.34 ～）の例文で，熟語の使い方を身につけよう！

解答と解説

(1) 訳 Ａ：スーザンの誕生日会に参加しませんか。

Ｂ：いいね。彼女へのプレゼントを買おうよ。

正解 **2**

解説 会話から，スーザンの誕生日会への参加を提案されていることが分かる。Sounds nice. は提案・誘いなどに対し「いいね」と答える決まり文句。

2. take part in ～「～に参加する」。

(2) 訳 このチョコレートの値段は，ほかの店と大きく違う。

正解 **1**

解説 ほかの店「と」，チョコの値段が大きく異なる。be different に続く前置詞を選ぶ。

1. be different from ～「～と異なる」。

(3) 訳 Ａ：そのクラブは厳しい練習で有名だよ。

Ｂ：知っているよ。先月，友人の一人がそこをやめてしまったよ。

正解 **3**

解説 「～で有名だ」という意味になる，be famous のあとの前置詞を選ぶ。

3. be famous for ～「～で有名だ」。

(4) 訳 私はその公園をよく知っていた。そこのバラの庭園を簡単に見つけることができた。

正解 **4**

解説 簡単に見つけられるのだから，「よく知っている」という意味になる熟語を探す。

4. be familiar with ～「～をよく知っている」。

(5) 訳 Ａ：赤ちゃんの世話をしてくれて本当にありがとう，ケイト。

Ｂ：どういたしまして。とてもかわいかったわ。

正解 **1**

解説 赤ちゃんをどうしてもらったら，お礼を言うか考える。

1. look after ～「～の世話をする」 **2**. look like ～「～に似ている」 **3**. look out「外を見る」 **4**. look up ～「～を調べる」。

テーマ 12 熟語の名詞選択

学習日 ／

目標時間
1問
30秒

得点
／5
合格点3点

次の(1)から(5)までの(　)に入れるのに最も適切なものを 1，2，3，4 の中から一つ選びなさい。

(1) The singer had a concert in the park in (　) of the rain.
1. word
2. spite
3. road
4. company

(2) A：How long did it take for you to draw this picture?
B：(　) took me a month to draw it.
1. Time
2. I
3. The picture
4. It

(3) A：Do you often go abroad, Hiroki?
B：Yes, but traveling abroad costs a (　) of money.
1. peace
2. much
3. lot
4. kind

(4) My mother tells me to drink a (　) of milk for my health every day.
1. pair
2. sheet
3. few
4. glass

(5) I was so busy yesterday that I could only listen to a (　) of the President's speech.
1. part
2. paper
3. page
4. parent

Point! もとの名詞と異なった意味になることがあるので注意！

前後の動詞や前置詞をヒントに，意味を考えよう。

解答と解説

(1) 🈩 その歌手は雨にもかかわらず公園でコンサートをした。

正解 **2**

[解説] 雨が降っていた「にもかかわらず」，コンサートをした，と考える。
2. in spite of ～「～にもかかわらず」。

(2) 🈩 A：この絵を描くのにどのくらいかかりましたか？
B：それは1か月かかりました。

正解 **4**

[解説] 〈It takes A（人）＋期間・時間＋ to *do*〉で「Aが～するのに（期間）がかかる」
という表現。よって正解は選択肢 **4**。

(3) 🈩 A：よく海外に行くのかい，ヒロキ。
B：うん，でも海外に行くのってすごくお金がかかるんだよ。

正解 **3**

[解説] 会話から「海外旅行にはたくさんのお金がかかる」と考えられる。often「し
ばしば」。go abroad「海外へ行く」。
1. peace「平和」 **2**. much「たくさん」 **3**. a lot of ～「たくさんの～」 **4**. kind
「種類」，a kind of ～「一種の～」。

(4) 🈩 ぼくのお母さんは，健康のために毎日グラス1杯の牛乳を飲むよ
うに言っている。

正解 **4**

[解説]「1杯の牛乳」という場合の適切な名詞を見つける。
1. pair「対」，a pair of ～「1組の～」 **2**. sheet「（紙などが）1枚」，a sheet of
～「1枚の～」 **3**. few は a few で「2，3の」 **4**. glass「グラス，ガラス」，a
glass of ～「グラス1杯の～」。

(5) 🈩 私は昨日とても忙しかったので，大統領の演説のほんの一部しか
聞くことができなかった。

正解 **1**

[解説] 忙しくて演説があまり聞けなかったと考える。
1. part「部分」，a part of ～「～の一部」 **2**. paper「紙」 **3**. page「ページ」
4. parent「親」。

次の(1)から(5)までの(　)に入れるのに最も適切なものを 1，2，3，4 の中から一つ選びなさい。

(**1**) **A**：Excuse me, Ms. Brown. I don't know (　) to use this fax machine.

　　 B：Don't worry, Anna. I'll show you.

　　 1. how 　　　　　 **2**. why

　　 3. what 　　　　 **4**. which

(**2**) **A**：Good morning, sir. May I help you?

　　 B：I'd like to (　) some ties.

　　 1. buying 　　　　 **2**. buys

　　 3. bought 　　　　 **4**. buy

(**3**) **A**：Can you tell me (　) I can buy the book?

　　 B：Well, we are going to start selling it next Monday.

　　 1. where 　　　　 **2**. when

　　 3. who 　　　　 **4**. why

(**4**) (　) too much is not good for your health. Please take care of your health.

　　 1. Eaten 　　　　 **2**. Ate

　　 3. Eating 　　　　 **4**. Eat

(**5**) **A**：(　) I come in, sir?

　　 B：Sure, Nozomi. How are you?

　　 1. Will 　　　　 **2**. May

　　 3. Would 　　　　 **4**. Must

Point! 疑問詞，助動詞は使い方と意味をそれぞれ押さえる！

別冊（p.48 〜）で文法の基本を確認しよう！

解答と解説

(1) 訳 A：すみません，ブラウンさん。このファックスの使い方が分からないのです。

B：心配しなくていいよ，アンナ。教えてあげるよ。

[解説] 適切な疑問詞を選ぶ問題。会話から，「ファックスの使い方」について話していることが分かる。

1. how to *do*「〜のやり方」。

 正解 **1**

(2) 訳 A：おはようございます，お客様。何かお探しですか？

B：ネクタイをいくつか買いたいです。

[解説] to のあとに動詞がどういった形で入るかを考える問題。May I help you? は「何かお困りですか，何かお探しですか（店の中で）」。

4. would like to *do*「〜したい」。

 正解 **4**

(3) 訳 A：いつその本が買えるのかを教えてくれますか？

B：そうですね，来週の月曜から販売する予定です。

[解説] 適切な疑問詞を選ぶ問題。Bが「来週の月曜日から」と答えていることから，時間に関する語を選ぶ。

2. when I can buy the book「いつ私がその本を買えるのか」。

 正解 **2**

(4) 訳 食べすぎは健康によくない。健康にはどうぞ気をつけてください。

[解説] 動名詞の問題。「食べすぎ」という表現を作る，正しい動詞の形を選ぶ。

3. eating too much「非常に多く食べること → 食べすぎ」。

 正解 **3**

(5) 訳 A：入ってもよろしいですか，先生。

B：もちろんですよ，ノゾミ。変わりはないですか。

[解説] 適切な助動詞を選ぶ問題。「（部屋に）入ってよいか」をたずねる表現を考える。

2. May I come in?「入っていいですか」。

 正解 **2**

テーマ **14** 文法②

次の(1)から(5)までの(　　)に入れるのに最も適切なものを 1，2，3，4 の中から一つ選びなさい。

(1) Yutaka is 13 years old. He is now as tall as his father, so he is the (　　) in his class.

　　1. tallest 　　　　　　**2**. tall

　　3. taller 　　　　　　**4**. more tall

(2) **A**：Frank's dog is very cute, (　　) it?

　　B：I think so. I want to have a dog, too.

　　1. is 　　　　　　**2**. doesn't

　　3. isn't 　　　　　　**4**. does

(3) **A**：I like soccer very much. I would like to go to the soccer stadium.

　　B：So (　　) I, Daigo.

　　1. do 　　　　　　**2**. did

　　3. am 　　　　　　**4**. was

(4) Cindy went shopping at a department store with her mother yesterday. She (　　) a wallet for her father.

　　1. chosen 　　　　　　**2**. chose

　　3. choosing 　　　　　　**4**. chooses

(5) **A**：Do you know the boy (　　) with Jane?

　　B：Yes. He is her brother.

　　1. swam 　　　　　　**2**. swim

　　3. swum 　　　　　　**4**. swimming

Point! 正しい動詞の形を問う出題が多い！

時制にも注意し，前後から空所の語を読み取る。

解答と解説

(1) **訳** ユタカは１３歳だ。今では父親と同じくらい背が高く，クラスで **正解 1**
最も背が高い。

解説 最上級の問題。「クラスで最も背が高い」という最上級の表現での，tall の
正しい形を考える。**1**. the tallest「最も背が高い」。

(2) **訳** A：フランクの犬って本当にかわいいよね。 **正解 3**
B：そう思うよ。ぼくも犬を飼いたいよ。

解説 付加疑問文の問題。「～ですよね，～でしょう」という付加疑問文の正し
い形を考える。ここでは Frank's dog is very cute. と is が使われていることから，
3. isn't が正解。

(3) **訳** A：ぼくはサッカーが大好きだ。そのサッカー場に行ってみたいよ。 **正解 1**
B：ぼくもそうだよ，ダイゴ。

解説 倒置法の慣用表現の問題。B が「ぼくもそうです」と答える場合の表現を考
える。〈So ＋ V ＋ S〉で「S もそうです」。 A の話が一般動詞を使っているので，
この場合は am ではなく，**1**. do で答える。

(4) **訳** シンディは昨日，母親とデパートに買い物に行った。彼女は父親 **正解 2**
に財布を選んだ。

解説 時制の問題。昨日の話なので過去形を選ぶ。choose の過去形は **2**. chose。

(5) **訳** A：ジェーンといっしょに泳いでいる男の子を知ってる？ **正解 4**
B：ええ。彼女の兄弟よ。

解説 分詞の問題。会話の状況から「～している」という形容詞的な用法を選ぶ。
現在分詞（*doing*）が当てはまるので，**4**. swimming が正解。

文法問題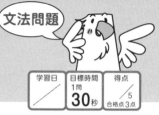

学習日	目標時間 1問 30秒	得点 /5 合格点3点

次の(1)から(5)までの(　)に入れるのに最も適切なものを 1, 2, 3, 4 の中から一つ選びなさい。

(1) **A**：Kenta, why don't you go to the park with me?
　　　B：OK, Bob. I have just (　　) studying.
　　　1. finishing　　　　　　**2**. finish
　　　3. to finish　　　　　　**4**. finished

(2) I borrowed a cook book from a library. But it was (　　) in English, so I couldn't understand it.
　　　1. write　　　　　　　**2**. wrote
　　　3. written　　　　　　**4**. writing

(3) When Ken was (　　) stones to the sea, a man told him to stop it.
　　　1. throwing　　　　　　**2**. throw
　　　3. thrown　　　　　　**4**. threw

(4) **A**：What is your hobby, Jack?
　　　B：My hobby is to (　　) old movies.
　　　1. see　　　　　　　　**2**. seen
　　　3. seeing　　　　　　**4**. saw

(5) (　　) it rains, I usually stay at home.
　　　1. Why　　　　　　　**2**. When
　　　3. Which　　　　　　**4**. What

Point! 3級の文法は，上の級でも基本になるので，しっかり
覚えよう。

不規則動詞の変化は，時制と対応させておこう。

解 答 と 解 説

(1) 訳 A：ケンタ，ぼくと公園に行かない？
B：いいよ，ボブ。ちょうど勉強を終えたところなんだ。

正解 **4**

解説 現在完了形の問題。〈have just+ 過去分詞〉で「ちょうど〜したところだ」と完了を表す。have just finished で「ちょうど終えたところだ」となり，選択肢 **4** が正解。Why don't you 〜 ? は「〜しませんか」という会話の頻出表現。

(2) 訳 私は図書館で料理本を借りた。しかしそれは英語で書かれていたので理解できなかった。

正解 **3**

解説 受動態の問題。「英語で書かれていた」という受身形にするので，write の過去分詞が正解。
3. It was written in English.「それは英語で書かれていた」。

(3) 訳 ケンが海に石を投げていたとき，男の人が彼にやめるように言った。

正解 **1**

解説 過去進行形の問題。〈be 動詞の過去形 + *do*ing〉で「投げていた」という意味になる選択肢 **1** が正解。throw「投げる」。throw-threw-thrown。

(4) 訳 A：きみの趣味は何だい，ジャック？
B：古い映画を見ることだよ。

正解 **1**

解説 不定詞の問題。趣味を聞かれ，「〜すること」と答えているので，不定詞の名詞的用法となる選択肢 **1** が正解。空所前に to がなければ動名詞の **3**. seeing（見ること）が正解になる。see a movie「映画を見る」。

(5) 訳 雨が降ると，私はたいてい家にいます。

正解 **2**

解説 接続詞の問題。文意から，「〜するとき，〜すると」という接続詞である **2**. When が正解。

Part2 会話文の文空所補充

POINT

形　　式	対話中の空所に適する語句や文を4つの選択肢の中から選ぶ
問 題 数	5問
目標時間	3分。1問を30秒程度で解くイメージ
傾　　向	問題はすべて対話形式で，空所の内容は「質問文の選択」「質問への回答問題」「一般の会話問題」の3つ。それぞれの出題数は毎回変わるが，各タイプから必ず1，2問は出題される
対　　策	日常的な会話の場面が出題される。疑問詞（5W1H）を使った基本的な疑問形の使い方や，会話でよく使われる表現などを覚えよう

質問文の選択

テクニック❶　　質問への応答から，質問内容をつかむ！

　質問文を選択する場合，空所の次にくる相手の発言が，選んだ質問文に対する答えです。何を答えているかが分かれば，何を聞いているかをつかめます。

〈例題〉

Mother: Your sister is crying. (　　　)

Son: She lost her doll.

1. What did that store sell?　　　　**2.** How much was that?

3. What's the matter?　　　　　　　**4.** How did you get home?

　この場合，空所前の「妹が泣いているわよ」だけで正解をしぼりこむのは困難です。しかし，質問への息子の回答が「人形をなくしたんだよ」であることから，**3.** What's the matter?「何があったの？」と理由を聞いていることが分かります。

質問への回答問題

テクニック❷　　質問の意図をつかんで返答を選ぶ！

　テクニック❶の逆パターン，質問への回答を選ぶ問題では，空所の前の相手の発言

で何を聞かれているか，に注目します。その際は，質問をしっかりと訳して意図をつかむことが大切です。

〈例題〉

Girl: It's your birthday today, isn't it?

Boy: How did you know that?

Girl: (　　)

1. I should do that.　　　　　　　　　　**2.** I did it yesterday.

3. I knew the way to the station.　　　　　**4.** I heard it from Taro.

　ここでは，少年が「どうやってそれ（＝ぼくの誕生日）を知ったの？」と聞いているので，選択肢**4**「タローから聞いたんだ」が正解と分かります。

　また，会話文ならではの受け答えもあるので，よく出るものはセットで覚えておくと便利です。

〈セットで覚えたい会話表現〉

① Why don't we do for a walk?　散歩に行かない？

― Sounds good.　いいね。

② Joe, can we talk a minute?　ジョー，ちょっと話していいですか？

― OK. What's up?　いいですよ。どうかしたの？

③ I don't want to go with you.　きみとはいっしょに行きたくないんだ。

― Why not?　どうして？

一般の会話問題

テクニック❸　　会話独自の表現を覚える！

　Part 1「短文の語句空所補充」では，１５問のうち会話文が半分くらい出題されるものの，「会話独自の表現」はあまり出ません。しかしこの Part 2 では，**会話独自の表現が頻出**です。リスニングのスコアアップにもつながるので，できるだけ覚えましょう。

〈よく出る会話表現〉

● That's too bad.　それはお気の毒です。

● That would be nice[great].　それはいいね。

● I don't feel well.　体調がよくありません。

● I haven't seen you for a while.　久しぶりですね。

● I'll show you the way.　道を教えますよ。

● Take care.　じゃあね。

● That's fine with me.　私はそれでいいよ。

● That sounds like fun.　それは楽しそうですね。

1 質問文の選択

次の(1)から(5)までの会話について，(　　)に入れるのに最も適切なものを 1，2，3，4 の中から一つ選びなさい。

(**1**) **Woman1**：(　　)
　　　Woman2：Well, he is very friendly.

　　1. What do you think of him?　　**2**. What would you like to do?
　　3. What's the matter with him?　　**4**. What makes him so angry?

(**2**) **Wife**：John, (　　)
　　　Husband：I fell off my bike.
　　　Wife：Oh, are you OK?

　　1. whose bike is this?　　　　**2**. what's up?
　　3. where are you going?　　　**4**. when did you ride the bike?

(**3**) **Woman**：Shingo, (　　)
　　　Man：Oh, it was so great.

　　1. how did you like the movie?　　**2**. where did you go?
　　3. when was your birthday?　　　**4**. which was your favorite book?

(**4**) **Man1**：(　　)
　　　Man2：I went to a French restaurant.

　　1. Why did you go to the restaurant?
　　2. When did you go there?
　　3. How did you go to the restaurant?
　　4. Where did you go last night?

(**5**) **Girl**：I would like to go shopping with you. But I can't.
　　　Boy：(　　)
　　　Girl：Mom says I have to study this afternoon.

　　1. What do you do?　　　　**2**. What do you think?
　　3. Why not?　　　　　　　**4**. Why do you go shopping?

（　　）の次にくる，相手の回答から質問内容を推測する！

時，場所，理由など，「何を」聞いているかに注意。

解答と解説

（1）🈁 女性１：彼のことをどう思う？
　　　女性２：そうね，彼はとても気さくね。

正解 **1**

解説 女性２の回答から「彼への感想」を聞いていることが分かる。
1.「彼のことをどう思う？」　2.「何をしたいの？」　3.「彼に何があったの？」
4.「何で彼はそんなに怒っているの？」。

（2）🈁 妻：ジョン，何かあったの？
　　　夫：自転車で転んだんだ。
　　　妻：あら，大丈夫？

正解 **2**

解説 夫の「自転車で転んだんだ」という答えから「何かあったの？」と聞いていることが分かる。1.「これはだれの自転車ですか？」　2.「何かあったの？」
3.「どこに行くつもりなの？」　4.「いつその自転車に乗ったの？」。

（3）🈁 女性：シンゴ，映画はどうだった？
　　　男性：うん，とてもよかったよ。

正解 **1**

解説 男性の答えから，何かの感想を聞かれていることが分かる。
1.「映画はどうだった？」　2.「どこへ行ったの？」　3.「いつが誕生日だったの？」　4.「どれがお気に入りの本だったの？」。

（4）🈁 男性１：昨夜どこに行ったんだい？
　　　男性２：フランス料理店に行ったんだ。

正解 **4**

解説 男性２の答えから，場所を聞かれていることが分かる。1.「なぜそのレストランに行ったの？」　2.「いつそこに行ったの？」　3.「どうやってそのレストランに行ったの？」　4.「昨夜どこに行ったの？」。

（5）🈁 少女：あなたといっしょに買い物に行きたいわ。でもできないの。
　　　少年：なぜなんだい？
　　　少女：ママが今日の午後は勉強しなさいって言っているの。

正解 **3**

解説 少女の答えは買い物に行けない理由。　1.「何（職業）をしているの？」
2.「どう思いますか」　3.「なぜですか」　4.「どうして買い物に行くの？」。

次の(1)から(5)までの会話について，（　）に入れるのに最も適切なものを 1，2，3，4 の中から一つ選びなさい。

(1) Man：Did you play tennis with Miki, yesterday?

　Woman：Yes. (　)

　1. She was too busy to come.
　2. We didn't know that.
　3. It was sold by her.
　4. I was so tired that I slept well.

(2) Woman：Hello. This is Rena Harada. May I speak to Mr. Johnson?

　Man：(　)

　1. No, I don't care.　　　　**2**. He may be there in 10 minutes.
　3. Yes, speaking.　　　　**4**. You may use his pen.

(3) Son：Can I talk with you for a minute, Dad?

　Father：Sure. (　)

　1. I don't have enough time.　　**2**. Go ahead.
　3. Not so good.　　　　　　**4**. I'm sure you'll be happy.

(4) Mother：Have you finished your homework yet, Harry?

　Son：(　) I'll finish it tonight.

　1. I beg your pardon?　　　**2**. I don't have any homework today.
　3. No, not yet.　　　　　　**4**. I'll think about it.

(5) Staff：May I help you, Madam?

　Woman：I'm sorry. (　)

　1. I'm just looking.　　　　**2**. I don't know who he is.
　3. You may come with me.　　**4**. You must be a staff member.

Point! （　　　）の前の発言で何を聞いているか，正確につかむ。

電話や店頭での会話などの頻出表現を覚える！

解答と解説

（1） 訳　男性：昨日，ミキとテニスをしたの？
　　　　　女性：ええ。とても疲れたので，よく眠れたわ。

正解 **4**

解説「テニスをしたの？」と聞かれ，「ええ」に続けての答え。**1.**「彼女はとても忙しくて来られなかった」，too ～ to ...「あまりに～なので…できない」　**4.**「私はとても疲れていたのでよく眠れた」，so ～ that ...「とても～なので…」。

（2） 訳　女性：もしもし。私はハラダ・レナです。ジョンソンさんはいらっしゃいますか。
　　　　　男性：はい，私です。

正解 **3**

解説　女性の話し方から，電話での会話であることを理解する。**1.**「いいえ，気にしません」　**2.**「彼は10分後にそこに行きます」　**3.** Yes, speaking. は電話で「はい，私です」という表現　**4.**「彼のペンを使っていいですよ」。

（3） 訳　息子：ちょっと話してもいい，お父さん？
　　　　　父：もちろん。話してごらん。

正解 **2**

解説「話をしてもいいか」という息子の問いに「もちろん」と答えていることから，父親が聞く気になっていることが分かる。for a minute「ちょっとの間」。**2.**「さあどうぞ」　**3.**「あまりよくありません」。

（4） 訳　母：宿題はもう終わったの，ハリー？
　　　　　息子：いいや，まだだよ。今晩やるよ。

正解 **3**

解説　息子が「今晩やるよ」と言っていることから，まだ終わらせていないことが分かる。**1.**「何と言ったのですか」　**2.**「今日は宿題はありません」　**3.**「いいえ，まだです」　**4.**「そのことについて考えます」。

（5） 訳　店員：何かお探しですか，お客様。
　　　　　女性：すみません。見ているだけです。

正解 **1**

解説　女性が「すみません」と言っていることから，買う意思がないことが分かる。May I help you? はお店などで「何かお探しですか？，何かお困りですか？」という表現。**1.** I'm just looking. はお店で「見ているだけです」と答える言い方。

テーマ

3 一般の会話問題

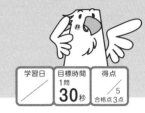

学習日	目標時間 1問	得点
／	**30**秒	／5 合格点3点

次の(1)から(5)までの会話について，(　)に入れるのに最も適切なものを 1，2，3，4 の中から一つ選びなさい。

(1) **Woman**：Thank you very much for everything.
　　Man：You are welcome. My family was very happy you came.
　　Woman：(　)

　　1. I will buy that.　　　　　**2**. I will wait until tomorrow.
　　3. I really enjoyed it, too.　　**4**. I'm going to start.

(2) **Wife**：Did you change your glasses?
　　Husband：Yes. I bought them yesterday.
　　Wife：(　)

　　1. You look great.　　　　　**2**. I'm afraid I can't.
　　3. Thank you anyway.　　　　**4**. Thank you for your help.

(3) **Man**：Did it snow yesterday in Hokkaido?
　　Woman：Yes, we had heavy snow.
　　Man：(　)

　　1. It's time to go home.　　　**2**. Please take care not to catch a cold.
　　3. That's very kind of you.　　**4**. I hope your dreams come true.

(4) **Woman**：How can I use this machine?
　　Man：I'll show you. (　)

　　1. You will get well soon.　　**2**. I used to go there.
　　3. You can buy it.　　　　　**4**. Do it this way.

(5) **Boy**：Hi, Julia. How about going for lunch?
　　Girl：Well, I'm in a hurry. (　)

　　1. Same to you.　　　　　　**2**. So am I.
　　3. No problem.　　　　　　**4**. See you later.

解答と解説

(1) 訳 女性：いろいろとお世話になり，ありがとうございました。
　　　男性：どういたしまして。あなたが来て我が家は楽しかったです。
　　　女性：私も本当に楽しかったです。

正解 3

解説 男性が，女性の滞在中楽しかったと伝え，女性がそれに答えている。
1.「それを買います」　2.「明日まで待ちます」　3.「私も本当に楽しかったです」　4.「始めるつもりです」。

(2) 訳 妻：眼鏡を替えたの？
　　　夫：うん。昨日買ったんだ。
　　　妻：とても似合っているわ。

正解 1

解説 夫の新しい眼鏡の感想を述べている。
1.「すばらしく見える→とても似合っている」　2.「すみませんができません」
3.「とにかくありがとう」　4.「助けてくれてありがとうございます」。

(3) 訳 男性：昨日北海道は雪でしたか。
　　　女性：ええ，大雪でした。
　　　男性：かぜをひかないよう気をつけてください。

正解 2

解説 女性の「大雪が降った」に対する回答としてふさわしいものを選ぶ。
1.「家に帰る時間です」　2.「かぜをひかないように気をつけてください」
3.「ご親切にありがとう」　4.「あなたの夢が実現することを祈っています」。

(4) 訳 女性：この機械どうすればいいのかしら。
　　　男性：教えてあげるよ。こうすればいいのさ。

正解 4

解説 男性が「（機械の使い方を）教えてあげる」と言ったあとの一言を探す。
1.「すぐによくなるよ」　2.「よくそこへ行ったものだ」，used to *do*「よく〜したものだ」　3.「きみがそれを買えるよ」　4.「こういう風にやりなさい」。

(5) 訳 少年：やあ，ジュリア。お昼食べに行かない？
　　　少女：ええと，今急いでいるの。またね。

正解 4

解説 少女が「急いでいる」と言っているので，誘いを断っていると考えられる。
be in a hurry「急いでいる」。
1.「あなたもね」　2.「私もです」　3.「問題ないよ」　4.「またね」。

Part 3 長文の内容一致選択

POINT

形　式	長文を読み，その内容に関する質問の答えを4つの選択肢の中から選ぶ
問題数	10問
目標時間	20分程度。1問を約2分で解くイメージ
傾　向	大問3Aは掲示文，3BはEメール文，3Cは説明文となる
対　策	語彙力に加え，段落および全体の話の展開をつかむ力が必要

掲示文

テクニック❶　日時・場所に注意する！

　内容は行事やメンバー募集のお知らせ，広告などで，日時や場所を問う設問が頻出です。これらの重要な情報は目立つように大きく，簡潔な表現で書かれています。何を問われているか把握し，確実に答えましょう。

Eメール・手紙文

テクニック❷　差出人と受取人の関係をつかむ！

　Eメールのヘッダー（本文の前の部分）からは，差出人，受取人，送信日時，件名などの情報が読み取れます。また，手紙文の宛名，差し出し人名から，手紙の書き手と読み手の関係が分かる場合もあります。これらの情報は本文読解の手がかりとなるので，先に確認しましょう。

　とくにEメールでは件名（メールの用件）が本文のテーマになっていることが多いので，必ず見ておきましょう。

　3級では，日常生活や思い出話に関する内容の友人や知人，家族・親類や，先生宛のEメール・手紙文が多く出題されます。

説明文

テクニック❸ 質問文を先に読む！

　長文を読む前に，**質問文と選択肢を先に読んでおきましょう**。質問文から大体の内容を予測し，重要なポイントを念頭に置いて読むと，長文を効率よく読解できます。

　質問文の形式には，疑問文の答えの選択と，文を完成させるのに適切な語句の選択の2種類があります。例えば My mother asked me to に続く語句を選択する問題の場合，「母親が書き手に何を頼んでいるか」に注目しながら長文を読めば，内容を理解すると同時に答えを見つけられます。

　また，質問文の順番と英文の流れは原則として一致しており，各段落から1，2問出題されます。

テクニック❹ 長文と選択肢の語句の言い換えに注意！

　長文の語句が，選択肢では同じ意味を表す別の**語句に言い換えられている場合**があります。単語を覚えるときは，ふだんから同意表現や反意表現も合わせて覚えることを意識しましょう。

　言い換え表現の，おもなパターンと具体例は次のとおりです。しっかりと押さえ，本番の試験で惑わされないよう注意しましょう。

〈同意表現〉
・go to school on foot「徒歩で学校へ行く」→ walk to school「学校まで歩く」
・start studying 〜「〜を勉強し始める」→ begin to study 〜「〜を勉強し始める」

〈具体化〉
・animals「動物」→ cats and dogs「猫や犬」
・a bag for shopping「買い物のためのかばん」→ a shopping bag「買い物袋」
・a room for sleeping in「眠るための部屋」→ a bedroom「寝室」

〈抽象化〉
・baseball and soccer「野球やサッカー」→ ball game「球技」
・a piano and a guitar「ピアノやギター」→ musical instruments「楽器」
・France, Germany and Spain「フランス，ドイツ，そしてスペイン」
　　→ some European countries「ヨーロッパのいくつかの国」

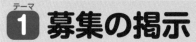

① 募集の掲示

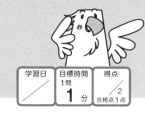

学習日	目標時間 1問	得点
／	**1** 分	／2 合格点1点

次の掲示の内容に関して，（1）と（2）の質問に対する答えとして最も適切なもの，または文を完成させるのに最も適切なものを 1，2，3，4 の中から一つ選びなさい。

Volunteers Needed! Earth Day Cleanup

When : Sunday, April 20
Where : City Hall, 215 East Street, Chester

　We are asking for your help to keep our community beautiful. Last year we cleaned Sunrise Beach. This year we will leave City Hall at 8:00 a.m. Then we will walk along North Street and clean the sidewalks.* We will get to West Park at 9:00 a.m. and clean it for two hours. We will be back at City Hall by noon.

　Please bring gloves and some garbage bags. You will receive a free T-shirt!

　If you are interested, please call Sandra at 214-575-821.

---

*sidewalk：歩道

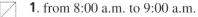

(**1**) Where should people get together to volunteer?
　1. At City Hall.　　　　**2**. On North Street.
　3. At West Park.　　　　**4**. On Sunrise Beach.

(**2**) Volunteers will clean West Park
　1. from 8:00 a.m. to 9:00 a.m.
　2. from 9:00 a.m. to 10:00 a.m.
　3. from 9:00 a.m. to 11:00 a.m.
　4. from 10:00 a.m. to 12:00 p.m.

Point! 掲示文は「タイトル」→「箇条書き」→「文」の流れが頻出。

時間，場所などの重要な情報は箇条書きなどで簡潔に書かれている。

解 答 と 解 説

（1） 訳 人々はボランティアをするためにどこへ集まるべきですか。

1. 市役所。　　**2.** 北通り。　　**3.** 西公園。　　**4.** サンライズビーチ。　 正解 **1**

解説 人々の集合場所を答える。箇条書きの Where: の箇所に注目。また，第3文の leave City Hall「市役所を出発する」からも集合場所は市役所だと分かる。

（2） 訳 ボランティアの人々は……西公園を掃除する予定です。 正解 **3**

1. 午前8時から午前9時まで　　　　**2.** 午前9時から午前10時まで

3. 午前9時から午前11時まで　　　　**4.** 午前10時から正午まで

解説 第5文に注目。西公園に午前9時に到着し，2時間清掃を行う予定。したがって，西公園の清掃時間は午前9時から午前11時まで。

 訳

ボランティア募集！　アースデイの清掃

期日：4月20日　日曜日

場所：市役所　チェスター・東通り215

　地域社会を美しく保つために，あなたの助けが必要です。私たちは昨年，サンライズビーチを清掃しました。今年は市役所を午前8時に出発します。それから北通りを歩き，歩道を清掃します。午前9時に西公園に到着し，そこを2時間清掃します。正午までに市役所に戻る予定です。

　自分の手袋とごみ袋を持参してください。Tシャツは無料で配布します！

　興味がある方は，サンドラ（214-575-821）までお電話ください。

テーマ
2 イベントのお知らせ

学習日	目標時間 1問	得点
/	**1** 分	/2 合格点1点

次のお知らせの内容に関して，(1)と(2)の質問に対する答えとして最も適切なものを 1，2，3，4 の中から一つ選びなさい。

Summer Concerts
Free Events for Everyone!

Columbia Marine Park (102 South Street, Port Town)
Saturdays in August

August 2 Beach Girls   August 9 South Street Band
August 16 Sunset Jazz Trio   August 23 Port Town Brothers
August 30 Chris & Becky

   We are having concerts at Columbia Marine Park. On Saturdays in August, you can enjoy listening to Hawaiian music, jazz music, and so on. The concerts start at 6:00 p.m. Please bring your family and friends and enjoy the summer evening! Food and drinks will be on sale at the concerts.

   For more information, visit our website at http://summerconcert.com.

---

(1) What is this notice for?
  1. Free events held in the summer.
  2. A hotel which was built by the beach.
  3. New songs by some popular bands.
  4. A restaurant that sells food and drinks.

(2) What should people do to get more information?
  1. Make a phone call.   **2**. Use the Internet.
  3. Send an e-mail.   **4**. Visit a park.

Point! 「何についてのお知らせか」を，タイトルから推測する。

詳細情報は，たいてい箇条書きの下に続く文に書かれている。

解答と解説

(1) 🔤 このお知らせは何のためのものですか。 　　　　　　　正解 **1**
　　1. 夏に催される無料のイベント。　**2.** 浜辺のそばに建設されたホテル。
　　3. 人気バンドの新曲。　　　　　　 **4.** 飲食物を販売するレストラン。
　　解説 お知らせの目的を答える。タイトルの Summer Concerts「夏のコンサート」
　　の告知が目的。どの選択肢にも concerts という単語がないので，タイトルの
　　free events に注目。同じ語句を含む選択肢 **1** が正解。

(2) 🔤 詳しい情報を得るためにはどうすればよいですか。 　　正解 **2**
　　1. 電話をする。　　　　　**2.** インターネットを使う。
　　3. Ｅメールを送る。　　　**4.** 公園を訪れる。
　　解説 質問文の more information を本文中から探すと，最終文にある。visit our
　　website「ウェブサイトを訪れる」は，インターネットを使うということなので，
　　選択肢 **2** の Use the Internet. が正解。

 訳

夏のコンサート
全員無料のイベント！

コロンビア・マリンパーク（ポートタウン，南通り 102）
8月の毎週土曜日

8月2日　　ビーチガールズ　　　　8月9日　　サウスストリートバンド
8月16日　サンセットジャズトリオ　8月23日　ポートタウンブラザーズ
8月30日　クリス＆ベッキー

　コロンビア・マリンパークでコンサートを開きます。8月の毎週土曜日に，ハワイアン音楽やジャズ音楽などを楽しめます。コンサートは午後6時に始まります。ご家族や友達を連れてきて夏の夜を楽しんでください！　コンサート会場では飲食物が販売されます。
　詳しい情報は，ウェブサイト（http://summerconcert.com）をご確認ください。

テーマ
3 Eメール

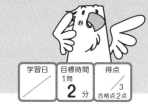

学習日	目標時間 1問	得点
/	**2** 分	/3 合格点2点

次のEメールの内容に関して，（1）から（3）までの質問に対する答えとして最も適切な ものを 1，2，3，4 の中から一つ選びなさい。

From: Oda Koji
To: Sara Jones
Date: April 29, 18:50
Subject: Golden Week

- -

Hi, Sara!
Did you do anything special today? This afternoon I went to school to practice basketball. It was very hot in the gym today!
By the way, Golden Week is coming soon. I'm making a plan to go hiking with my family. There are some mountains in the suburbs* of our city. We are going to climb Mt. Takao on Sunday, May 5. If you want to come, let's go together. In May, the flowers and new leaves are beautiful. We will also see Mt. Fuji from the top if it is clear. My mother says she'll make some rice balls and mushroom soup for you. You'll like it!
Koji

*suburb：郊外

From: Sara Jones
To: Oda Koji
Date: April 29, 19:00
Subject: I'd love to go!

- -

Hi, Koji.
Thank you for your e-mail. That would be great! But I don't have any shoes for hiking, so will you go shopping with me after school tomorrow? I heard Mt. Takao is one of the famous places for tourists to go to. So I want to go there during my stay in Japan. I'm looking forward to hiking with you! I can't wait.
Sara

Point! やりとりは1往復のものと1往復半(「誘い・問い合わせ・お願いなど」→「返答」→「確認」など)のものがある。

ヘッダーの内容を参考に,展開を正しく把握しよう。

From: Oda Koji
To: Sara Jones
Date: April 29, 19:50
Subject: No problem!

Hi, Sara.
We are happy you will come. We are going to leave home at 7:00 a.m. and get back home around 6:00 p.m. So, can you come to my house at 6:50 a.m.? Of course I'll go shopping with you! It is very important to choose good shoes. I know some nice shops and I'll take you to them.
See you tomorrow,
Koji

(1) What is Koji going to do on May 5?
- **1.** Practice basketball at school.
- **2.** Go hiking with his family.
- **3.** Climb to the top of Mt. Fuji.
- **4.** Enjoy shopping with Sara.

(2) Why does Sara want to visit the mountain?
- **1.** She will see Mt. Fuji from the top.
- **2.** It is famous for its mushroom soup.
- **3.** It is known by many tourists.
- **4.** She has loved hiking for a long time.

(3) What time does Koji want Sara to come to his house?
- **1.** At 6:00 a.m.
- **2.** At 6:50 a.m.
- **3.** At 7:00 a.m.
- **4.** At 7:50 a.m.

解 答 と 解 説

(1) 訳 **コウジは 5 月 5 日に何をする予定ですか。** 正解 **2**
  1. 学校でバスケットボールを練習する。**2.** 家族とハイキングに行く。
  3. 富士山の頂上まで登る。   **4.** サラと買い物を楽しむ。
  解説 1 通目の E メールの第 2 段落に注目。前半に, go hiking with my family「家
  族とハイキングに行く」とあるので, 選択肢 **2** が正解。選択肢 **1** は E メール送
  信日（4 月 29 日）にしたこと。登るのは富士山ではなく高尾山なので, 選択肢
  3 も誤り。サラと買い物に行くのは, 5 月 5 日ではなく, この E メールを送っ
  ている日の翌日（＝ 4 月 30 日）の予定なので, 選択肢 **4** も不適切。

(2) 訳 **サラはなぜその山を訪れたいのですか。** 正解 **3**
  1. 彼女は頂上から富士山を見るつもりだから。
  2. そこはきのこ汁で有名だから。
  3. そこは多くの旅行者に知られているから。
  4. 彼女は長い間ハイキングが大好きだから。
  解説 質問文の want to visit を E メール文中から探すと, 2 通目の E メール第 5
  文に want to go とある。So の前が理由を表す。本文の famous「有名な」を
  known「知られた」と言い換えている選択肢 **3** が適切。

(3) 訳 **コウジはサラに, 何時に家まで来てほしいと思っていますか。** 正解 **2**
  1. 午前 6 時。   **2.** 午前 6 時 50 分。
  3. 午前 7 時。   **4.** 午前 7 時 50 分。
  解説 3 通目の E メールの第 3 文に注目。Can you 〜 ? は「〜してくれますか」と
  依頼する表現で, 朝の 6 時 50 分に来るようにお願いしている。

訳

送信者：オダ・コウジ
受信者：サラ・ジョーンズ
送信日：4 月 29 日 18:50
件　名：ゴールデンウイーク

- -

こんにちは, サラ！
きみは今日何か特別なことをした？　今日の午後, ぼくはバスケットボールを練習しに学
校へ行ったよ。今日, 体育館の中はとても暑かった！
ところで, ゴールデンウイークの休みがもうすぐだね。ぼくは家族とハイキングに行く予
定を立てているよ。ぼくたちの市の郊外には山がいくつかあるんだ。ぼくたちは 5 月 5 日
の日曜日に高尾山に登る予定だよ。もしよかったら, いっしょに行こう。5 月は, 花や新

緑の葉がきれいだよ。晴れ渡っていれば，頂上から富士山も見える。お母さんがきみのために おにぎりときのこ汁を作るそうだよ。きみはきっとそれを気に入るよ！
コウジ

訳

送信者：サラ・ジョーンズ
受信者：オダ・コウジ
送信日：4月29日　19:00
件　名：ぜひ行きたい！

- -

こんにちは，コウジ。
メールをありがとう。すばらしいわね！　でも私はハイキング用の靴を1足も持っていないから，明日の放課後いっしょに買い物に行ってくれる？　高尾山は旅行者が行く有名な場所の一つだと聞いたわ。だから日本滞在中にそこへ行きたいの。あなた方といっしょのハイキングを楽しみにしているわ！　待ちきれないな。
サラ

訳

送信者：オダ・コウジ
受信者：サラ・ジョーンズ
送信日：4月29日　19:50
件　名：もちろん！

- -

やあ，サラ！
きみが来てくれることになってうれしいよ。ぼくたちは午前7時に家を出て，午後6時頃帰宅する予定だ。だから，午前6時50分にぼくの家に来られる？　もちろんいっしょに買い物に行くよ！　よい靴を選ぶのはとても大切だ。いいお店を知ってるから連れていくよ。
また明日。
コウジ

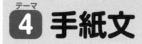

④ 手紙文

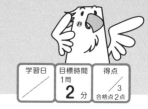

学習日	目標時間 1問	得点
/	**2** 分	/3 合格点2点

次の手紙文の内容に関して，（1）から（3）までの質問に対する答えとして最も適切なもの，または文を完成させるのに最も適切なものを 1，2，3，4 の中から一つ選びなさい。

April 2

Dear Grandpa,

　How are you? It is warm this week. I usually get up early, and I walk Max. It is nice to walk on the beach early in the morning. The sea breeze* is not cold. Spring has come!

　You gave me an old boat last Christmas. I love it. I cleaned it very well, but it needed more work. There was something wrong with the engine.* Last winter I worked part-time after school to get some money. I wanted the money to buy some new parts for the engine. I washed dishes in the kitchen of the fast-food restaurant near my school. Three months later, I had enough money! Last month I bought some parts and blue paint. I fixed the engine by myself. Then, I painted the boat blue. Dad helped me. Now it is blue. Dad said, "This boat looks like a new one!" I was very happy. If you see the boat, you will be very surprised! I hope you like it.

　Now I have something to tell you. Dad and I are going to ride in the boat together! Dad will take it to the beach by car. Why don't we go out in the boat next Sunday? Will you teach me how to steer* a boat? We can enjoy fishing for a few hours, too. What do you think about my idea? I'd like to have a good time with you! I hope to hear from you soon.

Love,
Joey

---

*sea breeze：潮風

*engine：エンジン

*steer：〜を操縦する

Point! 近況は現在形，思い出話などは過去形，今後の予定は will や be going to *do* などで表される。動詞の時制に注意！

(1) When did Joey get an old boat from his grandfather?

1. On April 2.
2. This week.
3. On December 25.
4. In March.

(2) Joey's father said that

1. something was wrong with the engine.
2. Joey's boat looked like a new one.
3. he bought a new blue boat.
4. Joey washed the dishes very well.

(3) What does Joey want to do with his grandfather next weekend?

1. Walk on the beach in the morning.
2. Eat lunch at the restaurant.
3. Paint the boat blue together.
4. Ride in the boat on the sea.

Part 3 長文の内容一致選択

(1) 訳 ジョーイは祖父からいつ古いボートをもらいましたか。

1. 4月2日。
2. 今週。
3. 12月25日。
4. 3月。

解説 質問文の〈get ＋もの＋ from ＋人〉は，第2段落第1文の〈give ＋人＋もの〉の言い換えであることに着目する。文末に last Christmas「この前のクリスマス」とあり，クリスマスは12月25日なので，選択肢 **3** が正解。

(2) 訳 ジョーイの父親は……と言いました。

正解 2

1. エンジンが故障している
2. ジョーイのボートは新品のように見える
3. 彼は新しい青いボートを買う
4. ジョーイはとても上手に皿を洗う

解説 選択肢中から，ジョーイの父親が本文中でした発言を探す。第2段落後半に，"This boat looks like a new one!"「このボートは新品のように見えるね！」とあるので選択肢 **2** が正解。

(3) 訳 ジョーイは今度の週末に祖父と何をしたがっていますか。

正解 4

1. 朝に浜辺を散歩する。
2. レストランで昼食を食べる。
3. いっしょにボートを青く塗る。
4. 海でボートに乗る。

解説 質問文の next weekend を本文中で探し，これと同じ意味の next Sunday という語句が出てくる第3段落第4文に注目。ジョーイは手紙の中で，Why don't we go out in the boat next Sunday?「今度の日曜日にボートに乗って出かけませんか」と祖父に提案している。よってジョーイはボートに乗りたいと思っていることが分かる。

訳

拝啓，おじいさんへ

　お元気ですか。今週は暖かいですね。ぼくはたいてい早起きして，マックスの散歩をします。朝早く浜辺を歩くのは気持ちいいです。潮風は冷たくありません。もう春ですね！

　おじいさんはこの前のクリスマスに，ぼくに古いボートをくれましたね。ぼくはそれがとても気に入っています。とてもきれいに掃除したのですが，それ以上の作業が必要でした。エンジンに不具合があったのです。この前の冬，ぼくはお金を稼ぐために，放課後にアルバイトをしました。エンジンの新しい部品を買うお金が欲しかったのです。学校近くのファストフード・レストランの厨房で皿洗いをしました。3か月して，十分なお金ができました！先月，いくつかの部品と青色のペンキを買いました。ぼくはエンジンを自分で修理しました。それから，ボートを青く塗りました。父さんが手伝ってくれました。今，ボートは青いです。父さんは「このボートは新品のように見えるね！」と言ってくれました。ぼくはとてもうれしかったです。おじいさんもボートを見たら，とても驚くでしょう！　気に入ってくれるといいなと思います。

　さて，おじいさんにお知らせすることがあります。ぼくは父さんといっしょにそのボートに乗る予定です！　父さんがボートを車で浜辺まで運びます。今度の日曜日にボートに乗って出かけませんか。ぼくにボートの操縦の仕方を教えてくれますか。魚釣りも2，3時間楽しめます。ぼくの考えをどう思いますか。ぼくはおじいさんと楽しい時間を過ごしたいです！　お返事を待っています。

敬具
ジョーイ

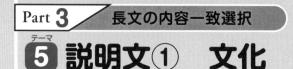

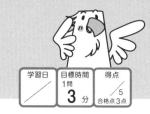

次の英文の内容に関して、(1)から(5)までの質問に対する答えとして最も適切なもの、または文を完成させるのに最も適切なものを1，2，3，4の中から一つ選びなさい。

A Healthy Fast Food

Many people love sandwiches. In the U.K. in May 2013, people made British Sandwich Week to celebrate one of the most popular fast foods. During the week, 607 sandwich lovers went to a special event. They made a sandwich together and set a new world record.

A sandwich is slices of bread with some food between them. Popular fillings* are cheese, meat, boiled egg and so on. Sandwiches are good for busy people because they can be eaten quickly. There are a lot of recipes for sandwiches. People often use different kinds of vegetables which are good for your health. Sandwiches are a healthy fast food.

When did people start eating bread in this way? In ancient times, people already had the habit of eating bread with meat. But today, many people believe sandwiches were invented by John Montagu, the fourth Earl of Sandwich* in England in the eighteenth century. He was a nobleman* who loved card games. One day, in 1792, he was busy playing cards. He had little time for a meal. Then, he asked a cook to bring two slices of bread with meat between them.

About 200 years later, in 2004, a man whose ancestor* was the Earl of Sandwich became famous. He, the eleventh Earl of Sandwich, opened a sandwich restaurant in Florida, the United States. It was named "Earl of Sandwich." Today, his restaurants are seen around the United States, Paris and London. Although some people deny the Earl's story, it is widely known as the origin. That is why the eleventh Earl of Sandwich succeeded with the name of his business.

---

*filling：(サンドイッチの)具　　*Earl of Sandwich：サンドイッチ伯爵

*nobleman：貴族　　*ancestor：先祖

料金受取人払郵便

豊島局承認

4466

差出有効期間
2025年9月30日まで
（切手不要）

郵 便 は が き

170-8789
104

東京都豊島区東池袋3-1-1
サンシャイン60内郵便局
私書箱1116号

株式会社 高橋書店
書籍編集部 ⑳ 行

‖‖·‖‖·‖·‖‖‖‖·‖‖‖‖·‖·‖‖·‖·‖·‖·‖·‖·‖·‖·‖·‖·‖·‖·‖·‖·‖·‖·‖‖

※ご記入いただいた個人情報は適正に管理いたします。取扱いについての詳細は弊社のプライバシーステイトメント
（https://www.takahashishoten.co.jp/privacy/）をご覧ください。ご回答いただきましたアンケート結果については、
今後の出版物の企画等の参考にさせていただきます。なお、以下の項目は任意でご記入ください。

お名前			年齢： 歳
			性別： 男 ・ 女
ご住所 〒 －			
電話番号 － －		Eメールアドレス	
ご職業			
①学生	②会社員 ③公務員	④教育関係	⑤専門職
⑥自営業	⑦主婦・主夫 ⑧無職	⑨その他（ ）	

裏面のご感想やご意見を匿名で、本の紹介や広告等に使用してもよろしいですか？ □はい □いいえ
今後の企画検討時に、アンケート等でご協力いただけますか？ □はい □いいえ

弊社発刊の書籍をお買い上げいただき誠にありがとうございます。皆様のご意見を参考に、よりよい企画を検討してまいりますので、下記にご記入のうえ、お送りくださいますようお願い申し上げます。

ご購入書籍 **一問一答英検®完全攻略問題集** 音声DL版

1)ご購入いただいた級を教えてください
☐準1級　　☐2級　　☐準2級　　☐3級

2)英検®を受けようと思ったきっかけは何ですか(複数回答可)
☐学校ですすめられて　　　　　☐進学(受験)に有利と聞いて
☐その他(　　　　　　　　　　　　　　　　　　　　　　　　　)

3)英検®対策で重視している技能はどれですか(複数回答可)
☐リーディング　☐リスニング　☐ライティング　☐スピーキング

4)試験はどのタイプで受検されますか・されましたか
☐従来型(個人)　☐従来型(団体)　☐S-CBT

5)本書を購入いただいたきっかけを教えてください(複数回答可)
☐書店で見て
☐ネット書店で見て
☐試験リニューアル対応の商品だから
☐単語・熟語の対策ができる別冊がついていたから
☐よく出るテーマの問題を効率よく学習したいから
☐知人のすすめ(どなたから?→ 家族 ・ 友人 ・ 学校の先生 ・ 塾の先生 ・ その他　)
☐その他(　　　　　　　　　　　　　　　　　　　　　　　　　)

本書についてのご感想をお聞かせください

(**1**) In 2013, people in the U.K.
  ☐ **1**. invented new recipes of sandwiches.
  2. celebrated the birthday of Earl of Sandwich.
  3. set a new sandwich record.
  4. made the longest sandwich in the world.

(**2**) Why are sandwiches good for busy people?
  ☐ **1**. They can make sandwiches easily.
  2. Sandwiches can be eaten quickly.
  3. It is fun to choose what to use.
  4. Sandwiches have a lot of vegetables.

(**3**) What did John Montagu do in 1792?
  ☐ **1**. He visited some foreign countries.
  2. He wrote a lot of cards to his friends.
  3. He ate the food known as a sandwich today.
  4. He built some restaurants in England.

(**4**) Where did the eleventh Earl of Sandwich open his first restaurant?
  ☐ **1**. In Italy.   **2**. In England.
  3. In France.   **4**. In the United States.

(**5**) What is this story about?
  ☐ **1**. The sandwich and its beginning.   **2**. Various fast foods.
  3. John Montagu and his work.   **4**. The most famous sandwich event.

(1) 訳 2013年，イギリスの人々は……　　　正解 3

1. サンドイッチの新しいレシピを開発した。
2. サンドイッチ伯爵の誕生日を祝った。
3. 新しいサンドイッチの記録を立てた。
4. 世界で最も長いサンドイッチを作った。

解説 質問文の in 2013, in the U.K. に着目。第1段落の内容を把握する。607名がサンドイッチをいっしょに作り，世界記録を作った。選択肢 **3** が正解。

(2) 訳 サンドイッチはなぜ忙しい人にぴったりなのですか。　　正解 2

1. 彼らはサンドイッチを簡単に作れるから。
2. サンドイッチはすぐに食べられるから。
3. 何を使うか選ぶのは楽しいから。
4. サンドイッチには野菜がたくさん入っているから。

解説 質問文の good for busy people が第2段落第3文にある。because 以下が理由を表す。選択肢 **2** が正解。

(3) 訳 ジョン・モンターギュは1792年に何をしましたか。　　正解 3

1. 彼は外国を訪れた。
2. 彼は友達にたくさんのカードを書いた。
3. 彼は今日サンドイッチとして知られる食べ物を食べた。
4. 彼はイングランドにレストランを建てた。

解説 in 1792 を手がかりに，第3段落後半に注目。ジョン・モンターギュの行動を読み取る。選択肢 **3** が正解。選択肢 **4** は第11代伯爵がしたこと。

(4) 訳 第11代サンドイッチ伯爵は最初のレストランをどこに開きましたか。　　正解 4

1. イタリア。　　　　　　　2. イングランド。
3. フランス。　　　　　　　4. アメリカ合衆国。

解説 質問文の open his first restaurant を英文で探し，第4段落第2文に同じ内容を見つける。文末の in Florida, the United States に注目。選択肢 **4** が適切。

(5)  この物語は何に関するものですか。

1. サンドイッチとその始まり。

2. さまざまなファストフード。

3. ジョン・モンターギュと彼の仕事。

4. 最も有名なサンドイッチの催し。

正解 **1**

解説 第 1 段落は話題の導入，第 2 段落はサンドイッチの説明，第 3 段落はサンドイッチの語源，第 4 段落は現在のサンドイッチの紹介。よって選択肢 **1** が適切。

健康によいファストフード

サンドイッチは多くの人に愛されている。2013 年 5 月，イギリスでは，この最も人気のあるファストフードの一つをお祝いするために，全英サンドイッチウィークが作られた。その週に，607 名のサンドイッチ愛好者たちが特別な行事に参加した。彼らはいっしょにサンドイッチを作り，新たな世界記録を立てた。

サンドイッチは，間に食材をはさんだパンである。人気のある具は，チーズ，肉類，ゆで卵などだ。すぐに食べられるので，サンドイッチは忙しい人にぴったりだ。サンドイッチにはレシピがたくさんある。健康によいいろいろな野菜を使うことが多い。サンドイッチは健康的なファストフードなのだ。

人々はいつこのようにパンを食べ始めたのだろうか。古代，人々にはすでにパンを肉類といっしょに食べる習慣があった。しかし，今日，サンドイッチは 18 世紀のイングランドの第 4 代サンドイッチ伯爵ジョン・モンターギュによって発案されたと多くの人が信じている。彼はトランプが大好きな貴族であった。1792 年のある日のこと，彼はトランプのゲームをするのに忙しかった。彼は食事にあてる時間がほとんどなかった。そこで，調理師に 2 枚のパンに肉をはさんで持ってくるように頼んだのだ。

約 200 年後の 2004 年，サンドイッチ伯爵を祖先に持つ男性が有名になった。第 11 代サンドイッチ伯爵である彼はサンドイッチのレストランをアメリカ合衆国のフロリダに開いたのだ。レストランは「サンドイッチ伯爵」と命名された。現在そのレストランは全米およびパリやロンドンにも見られる。伯爵の逸話を否定する人々もいるが，それは由来として広く知られている。だからこそ，彼のビジネスはその名前を使って成功したのである。

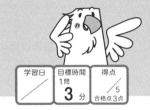
6 説明文② 伝記

次の英文の内容に関して, (1)から(5)までの質問に対する答えとして最も適切なもの, または文を完成させるのに最も適切なものを 1, 2, 3, 4 の中から一つ選びなさい。

A Great Inventor

If we have hard times, it is difficult to keep trying. But there was a great man who kept trying all his life. His name is Thomas Edison, an American inventor. He once said, "Our greatest weakness lies in giving up. The most certain way to succeed is always to try just one more time."

Thomas Edison was born in 1847. When he was a child, he was full of ideas. He often surprised people around him. He learned everything from his mother Nancy at home because he didn't go to school like other children. He liked studying, especially reading and doing experiments. At the age of 10, he set up his own laboratory in the basement. In 1859, he worked for the first time in his life. He sold newspapers and food on trains. Then he worked as a telegraph operator* for several years. He also continued studying very hard.

In 1868, young Edison invented his first machine, the electrical vote recorder.* However, it was not successful because people were not interested in it. From that time on, he studied day and night for many years, and he invented a lot of things which made people happy. In 1877, he made the first phonograph* that could record and play sound. In 1879, he made an electric light-bulb.* He invented many other useful things. A lot of his ideas changed the future.

Thomas Edison always tried "just one more time" through his life. He kept trying until he died at the age of 84. He is one of the greatest inventors in the world.

*telegraph operator：電信技師

*electrical vote recorder：電気投票記録機

*phonograph：蓄音機(レコードプレーヤーの前身)

*electric light-bulb：電球

Point! 伝記は登場人物が「いつ」「何をしたか」を把握することが重要！

とくに文中の西暦を問われることが多いので注意。

(**1**) How did Nancy help her son?
   1. She went to school with him.
   2. She taught him everything.
   3. She set up his laboratory.
   4. She worked with him on trains.

(**2**) When did Edison get his first job?
   1. In 1847.   **2**. In 1857.   **3**. In 1859.   **4**. In 1868.

(**3**) Why wasn't the first machine invented by Edison successful?
   1. It didn't get people's attention.
   2. He had to spend too many hours.
   3. It cost him a lot of money.
   4. It was difficult for people to use the machine.

(**4**) What happened to Edison in 1877?
   1. He had an accident at work.
   2. He sold newspapers and food.
   3. He made a musical instrument.
   4. He invented a machine for recording sound.

(**5**) Thomas Edison
   1. is one of the world's greatest inventors.
   2. studied abroad when he was young.
   3. invented the first telephone in 1879.
   4. worked as an inventor in England.

解答と解説

(1) 訳 **ナンシーはどのように息子を手助けしましたか。**   正解 **2**
1. 彼といっしょに学校へ行った。
2. 彼にすべてのことを教えた。
3. 彼の研究室を作った。
4. 列車で彼といっしょに働いた。

解説 第2段落第4文前半の He learned everything from his mother Nancy at home が手がかり。主語と動詞を変えて，ほぼ同じ意味を表す選択肢 **2** が正解。

(2) 訳 **エジソンはいつ最初の仕事に就きましたか。**   正解 **3**
1. 1847 年。 2. 1857 年。
3. 1859 年。 4. 1868 年。

解説 それぞれの年を本文中に探し，前後をよく読む。質問文の get *one's* first job「最初の仕事に就く」は，第2段落後半の work for the first time in *one's* life「生まれて初めて働く」の言い換えなので，選択肢 **3** が正解。

(3) 訳 **エジソンが発明した最初の機械はなぜ成功しなかったのですか。**   正解 **1**
1. 人々の関心を集めなかったから。
2. 彼はあまりにも多くの時間を費やさなければならなかったから。
3. 多くの資金を必要としたから。
4. その機械を使うのは難しかったから。

解説 successful は本文第3段落第2文にあり，because 以下が理由。be not interested in ～「～に興味がない」を言い換えた選択肢 **1** が正解。

(4) 訳 **1877 年，エジソンに何が起こりましたか。**   正解 **4**
1. 彼は仕事中に事故にあった。
2. 彼は新聞や食べ物を販売した。
3. 彼は楽器を製作した。
4. 彼は録音のための機械を発明した。

解説 第3段落後半に注目。1877 年は最初の蓄音機を作った年。phonograph は楽器ではなく，音を記録し再生する機械。選択肢 **4** が正解。

(5) トーマス・エジソンは…… 　　正解 1
　1. 世界で最も偉大な発明家の一人だ。
　2. 若いころに留学した。
　3. 1879 年に最初の電話機を発明した。
　4. イングランドで発明家として働いた。

解説 第4段落最終文から，選択肢 1 が正解。エジソンが留学したとは書かれていない。1879 年の発明は電球。エジソンはアメリカの発明家。

訳

偉大な発明家

　もし私たちが苦難に見舞われていたら，挑戦し続けることは難しい。しかし，生涯，挑戦し続けた偉大な人物がいた。彼の名前はトーマス・エジソン，アメリカの発明家である。彼はかつて「私たちの最大の弱点はあきらめることにある。成功するための最も確実な方法は，常にあと 1 回だけ試してみることだ」と言った。

　トーマス・エジソンは 1847 年に生まれた。彼は子どものころ，発想が豊かだった。彼はよく周囲の人を驚かせた。ほかの子どもたちが通うようには学校へ通わなかったので，自宅で母のナンシーからすべてを教わった。彼は勉強，とくに読書や実験をすることが好きだった。10 歳のとき，彼は地下室に自分の研究室を作った。1859 年，彼は生まれて初めて働いた。列車の中で新聞や食べ物を売っていたのだ。その後，彼は数年間，電信技師として働いた。彼はまた，とても熱心に勉強し続けた。

　1868 年，若かりし日のエジソンは最初の機械，電気投票記録機を発明した。しかし，人々はそれに興味を示さず，成功しなかった。それ以後，彼は何年間にもわたって，昼も夜も研究を行い，人々を幸せにするものをたくさん発明した。1877 年，彼は音声を，記録したり再生したりできる最初の蓄音機を作った。1879 年，彼は電球を作った。彼は役立つものをほかにもたくさん発明した。たくさんの彼の着想が未来を変えた。

　トーマス・エジソンは生涯を通じてつねに「あと 1 回だけ」試してみた。彼は 84 歳で亡くなるまで挑戦し続けた。彼は世界で最も偉大な発明家の一人である。

Part4 ライティング・Eメール

POINT

形　　式	外国人の友達からのEメールにある2つの質問に対し，その答えを英文で書く。英文の語数の目安は15語〜25語
問 題 数	1問
目標時間	10分程度
傾　　向	趣味・生活などのテーマに関連したEメールが提示される
評　　価	解答は3つの観点（内容，語彙，文法）で採点される。観点ごとに0〜3点の4段階で評価される
対　　策	疑問詞を使った疑問文に対する答え方を身につけよう

テクニック❶ 解答すべき内容を把握する！

　Eメール問題では，**相手からのメールでたずねられた2つの質問に答える**，ということを押さえておきましょう。問題の形式と問われる内容をあらかじめ把握しておくことによって，あせらずスムーズに問題に取り組むことができます。好きなことを何でも書いていいというわけではなく，下線部の2つの相手の質問に対して答える，ということがポイントです。

テクニック❷ 問題文の指示をしっかり守る！

　目安として与えられるのは15語〜25語という限られた語数なので，**質問に簡潔に答えること**が求められます。長くなりすぎてしまったときは，短縮形を使ったり，より短い語数の別の表現に言い換えたりするなどの工夫が必要です。

　また，相手のEメールに対応した内容になっていない場合，0点として採点される可能性があります。関係のない内容を加えて語数の調整をすることは避けましょう。

テクニック❸　疑問詞を使った質問に対する答え方を押さえる！

　相手の質問は疑問詞を使った疑問文で問われることが多いです。**それぞれの疑問詞の意味とそれに対する答え方をしっかり覚えておきましょう。**

〈例〉

・What do you usually eat for breakfast?
　―I usually eat some bread. (「何」かを答える)
・What subject do you like?
　―I like English. (「何の教科」かを答える)
・Where does your uncle live?
　―He lives in New York. (「どこ」かを答える)
・When did you play basketball with your friends?
　―I played it on Sundays. (「いつ」かを答える)
　How many computers do you have?
　―I have two. (「いくつ」かを答える)
・How did you go to the library?
　―I went there by bus. (「どのように」かを答える)

テクニック❹　自分の意見を言うこと，質問に応答することに慣れる！

　E メールでは趣味・生活に関連するものが多く出題されることが予想されます。それらのテーマで友達や家族とやりとりする機会を持ち，英文で表現するスキルを身につけておきましょう。安全面に留意して，SNS などで実際に外国人と英文でのやりとりをしてみることも有効です。

p.72-73 にある POINT やテクニックをふまえて，次の例題に取りくんでみましょう。

例題

● あなたは，外国人の友達（James）から以下の E メールを受け取りました。E メールを読み，それに対する返信メールを，□□□に英文で書きなさい。

● あなたが書く返信メールの中で，友達（James）からの２つの質問（下線部）に対応する内容を，あなた自身で自由に考えて答えなさい。

● あなたが書く返信メールの中で□□□に書く英文の語数の目安は，15 語〜 25 語です。

● 解答欄の外に書かれたものは採点されません。

● 解答が友達（James）の E メールに対応していないと判断された場合は，０点と採点されることがあります。友達（James）の E メールの内容をよく読んでから答えてください。

● □□□の下の Best wishes, の後にあなたの名前を書く必要はありません。

Hi,

Thank you for your e-mail.
I heard that you and your family went to the zoo last weekend. I want to hear more about it. How did you get there from your home? And what animals did you see?

Your friend,
James

Hi, James!

Thank you for your e-mail.

解答欄に記入しなさい。

Best wishes,

〈解答文作成の手順例〉
①冒頭の文で相手のメールの内容に関する応答をする
②下線部の2つの質問に返答する
③感想などを加える

解答例

訳

やあ，
メールをありがとう。
先週末，家族で動物園に行ったんだってね。そのことをもっと聞きたいな。
きみの家からどうやって行ったの？　それと，どんな動物を見たの？
きみの友人，
ジェームズ

やあ，ジェームズ！
メールをありがとう。

解答欄に記入しなさい。

よろしくね，

解答例

 We enjoyed the zoo! To get there, we took two trains. It took about 20 minutes. We saw many animals. The pandas were very cute.　（25 語）

解答例訳

 私たちは動物園を楽しんだよ！ そこへ行くのに電車を2本乗り継いだよ。20 分くらいかかった。たくさんの動物を見たんだ。パンダがとてもかわいかったよ。

Part4 ライティング・英作文

・POINT

形　　式	外国人の友達からのQUESTIONに対し，自分の考えとその理由を2つ，25〜35語の英文で書く
問 題 数	1問
目標時間	10分程度
傾　　向	自分自身の趣味・生活などをテーマにしたことがQUESTIONとして出題される
評　　価	解答は4つの観点（内容，構成，語彙，文法）で採点される。観点ごとに0〜4点の5段階で評価される
対　　策	語数が限られているので，3文（自分の考え・理由①・理由②）で簡潔にまとめよう

テクニック❶　日本語で内容の下書きをしよう！

　まず書きたい内容を日本語で下書きします。時間が限られているので，一字一句をきちんと書く必要はありません。**要点を簡潔に，順序立てて書きましょう。**

〈例題〉

QUESTION：What is your favorite food?

「あなたのお気に入りの食べものは何ですか」

[下書き]ラーメンが好き（自分の考え）

→ いろいろな味を楽しむことができるから（理由①）

→ 自分でも簡単に作ることができるから（理由②）

　上の例のように，おおまかな構成を下書きしておくと，英文を作る際にスムーズにできます。

テクニック❷　スペルミスはしない！

　減点をさけるには，スペルミスをなくしましょう。例えば，「数学」という単語を書

きたいときに mathematics というスペルが心配ならば，math と書くべきです。あえて難しい単語を選ぶ必要はありません。**簡単な単語でよいので，確実に書けるものを使いましょう。**

テクニック❸ 基本的な文法ミスはしない！

三単現や単数・複数，冠詞の書き忘れなど，基本的な文法ミスに注意しましょう。以下の例のようなケアレスミスは減点対象となります。

〈例〉

× *I like math the best because my math teacher teach it well.*
→ 動詞 teach に三単現の -(e)s をつけて teaches とすべき。

× *There is a lot of beautiful flowers.*
→ a lot of beautiful flowers に合わせて，is を are とすべき。

× *My brother is soccer player.*
→ 冠詞 a をつけて a soccer player とすべき。

テクニック❷とも共通しますが，あえて難しい文法を使って複雑な英作文にチャレンジするよりも，自分が確実に使いこなせる文法で間違いのない英文を作るほうがスコアアップにつながります。

テクニック❹ 語数をきちんと守る！

目安として与えられるのは 25 〜 35 語という限られた語数なので，**簡潔に要点だけを書くことが求められます。**

〈例題〉

QUESTION：What is your favorite food?「あなたのお気に入りの食べものは何ですか」

[解答例] My favorite food is *ramen*. I like *ramen* the best because there are many kinds of *ramen*, so I can enjoy them. Also, I can cook it easily.

この解答例の語数を数えてみると，これだけで 28 語です。つまり，「25 〜 35 語」という目安に沿っているので，これで十分な答案になります。「25 語よりも 35 語のほうがスコアが高くなる」といったことは決してありませんので，要点を簡単にまとめることを心がけましょう。

テーマ 1 趣味・日常①

- あなたは，外国人の友達(James)から以下のEメールを受け取りました。
  Eメールを読み，それに対する返信メールを，□□□に英文で書きなさい。
- あなたが書く返信メールの中で，友達(James)からの2つの質問(下線部)に対応する内容を，あなた自身で自由に考えて答えなさい。
- あなたが書く返信メールの中で□□□に書く英文の語数の目安は，15語〜25語です。
- 解答欄の外に書かれたものは採点されません。
- 解答が友達(James)のEメールに対応していないと判断された場合は，0点と採点されることがあります。友達(James)のEメールの内容をよく読んでから答えてください。
- □□□の下のBest wishes, の後にあなたの名前を書く必要はありません。

Hi,

Thank you for your e-mail.
I heard that you went fishing last week. I am very interested in it.
<u>What time did you get up that day?</u> <u>And who did you go with?</u>

Yours,
James

Hi, James!
Thank you for your e-mail.

解答欄に記入しなさい。

Best wishes,

訳

> やあ,
> メールをありがとう。
> 先週釣りに行ったんだって。そのことにとても興味があるんだ。
> <u>その日は何時に起きたの？</u>　<u>あと，だれと行ったのかな？</u>
> またね,
> ジェームズ

> やあ，ジェームズ！
> メールをありがとう。
>
> | 解答欄に記入しなさい。 |
> | :---: |
>
> よろしくね,

解答例

　　I got up at four in the morning that day! And I went fishing with my father. He is very good at it.　（23 語）

解答例訳

　その日は朝4時起きだったよ！　それでお父さんと行ったんだ。お父さんはとても釣りが得意なんだ。

《補足》
in the morning「朝の，午前中」
be good at ～「～が得意だ」

学習日	目標時間 1問	得点
／	**10**分	／1

● あなたは，外国人の友達(James)から以下のEメールを受け取りました。
　Eメールを読み，それに対する返信メールを，□□□に英文で書きなさい。

● あなたが書く返信メールの中で，友達(James)からの２つの質問(下線部)に対応する内容を，あなた自身で自由に考えて答えなさい。

● あなたが書く返信メールの中で□□□に書く英文の語数の目安は，15語～25語です。

● 解答欄の外に書かれたものは採点されません。

● 解答が友達(James)のEメールに対応していないと判断された場合は，0点と採点されることがあります。友達(James)のEメールの内容をよく読んでから答えてください。

● □□□の下の Best wishes, の後にあなたの名前を書く必要はありません。

Hi,

Thank you for your e-mail.
I heard that you have been to Hokkaido. I want to know more about it.
<u>What did you do while you were in Hokkaido?</u> <u>And how long did you stay there?</u>

Yours,
James

Hi, James!
Thank you for your e-mail.

解答欄に記入しなさい。

Best wishes,

80

訳

> やあ,
> メールをありがとう。
> きみは北海道に行ったことがあるんだね。そのことについてもっと知りたいんだ。
> 北海道にいる間は, 何をしたの? 北海道にはどのくらい滞在したの?
> またね,
> ジェームズ

> やあ, ジェームズ!
> メールをありがとう。
>
> 解答欄に記入しなさい。
>
> よろしくね,

解答例

I went to Sapporo and enjoyed the Snow Festival. And I stayed there for five days. It was a great trip with my family. (24 語)

解答例訳

札幌に行って雪まつりを楽しんだよ。そしてそこに 5 日間滞在した。家族とのとても楽しい旅行だったよ。

《補足》

特に地名を入れて答える必要はありません。

Snow Festival は雪まつり。有名なお祭りと考えれば大文字を用いて書いてもよいですが, 例えば「地元の夏祭り」程度の規模であれば, local summer festival と小文字で表記します。

テーマ **1** 好きなもの・こと

学習日	目標時間 1問	得点
/	**10**分	/3 合格点2点

☑ (**1**)

● あなたは，外国人の友達から以下の QUESTION をされました。
● QUESTION について，あなたの考えとその理由を2つ英文で書きなさい。
● 語数の目安は 25 語〜 35 語です。
● 解答が QUESTION に対応していないと判断された場合は，<u>0 点と採点されること</u>があります。QUESTION をよく読んでから答えてください。

QUESTION

What is your favorite subject?

☑ (**2**)

● あなたは，外国人の友達から以下の QUESTION をされました。
● QUESTION について，あなたの考えとその理由を2つ英文で書きなさい。
● 語数の目安は 25 語〜 35 語です。
● 解答が QUESTION に対応していないと判断された場合は，<u>0 点と採点されること</u>があります。QUESTION をよく読んでから答えてください。

QUESTION

Do you like learning Japanese history?

☑ (**3**)

● あなたは，外国人の友達から以下の QUESTION をされました。
● QUESTION について，あなたの考えとその理由を2つ英文で書きなさい。
● 語数の目安は 25 語〜 35 語です。
● 解答が QUESTION に対応していないと判断された場合は，<u>0 点と採点されること</u>があります。QUESTION をよく読んでから答えてください。

QUESTION

Which do you like better, watching sports or playing sports?

解 答 例

(1)

QUESTION 訳

あなたのお気に入りの教科は何ですか？

解答例

My favorite subject is English. I like English the best because I can make many foreign friends by using English. Also, I like to sing English songs. （27 語）

解答例訳

私のお気に入りの教科は英語です。私が英語を一番好きなのは，英語を使うことでたくさんの外国人の友達を作ることができるからです。また，私は英語の歌を歌うのが好きです。

(2)

QUESTION 訳

あなたは日本史を学ぶことが好きですか？

解答例

Yes, I do. My father is a Japanese history teacher, so I have been interested in it since I was a child. Also, imagining the old days is fun for me. （31 語）

解答例訳

はい，好きです。私の父は日本史の教師なので，私は子どものころからそれに興味を持っています。また，昔を想像することは私にとって楽しいです。

(3)

QUESTION 訳

あなたはスポーツを観戦するのとプレーするのではどちらが好きですか？

解答例

I like watching sports better than playing sports. I am not a fast runner, so I'm not good at playing sports. Also, I enjoy looking at each player carefully. （29 語）

解答例訳

私はスポーツをプレーするよりも観戦するほうが好きです。私は速い走者ではないのでスポーツが得意ではありません。また，私はそれぞれの選手を注意深く見て楽しみます。

テーマ **2** 習慣・趣味

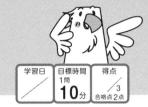

学習日	目標時間 1問 **10**分	得点 /3 合格点2点

☑ **（1）**

● あなたは，外国人の友達から以下の QUESTION をされました。
● QUESTION について，あなたの考えとその<u>理由を2つ</u>英文で書きなさい。
● 語数の目安は 25 語〜 35 語です。
● 解答が QUESTION に対応していないと判断された場合は，<u>0点と採点されることがあります</u>。QUESTION をよく読んでから答えてください。

QUESTION
Do you have breakfast every day?

☑ **（2）**

● あなたは，外国人の友達から以下の QUESTION をされました。
● QUESTION について，あなたの考えとその<u>理由を2つ</u>英文で書きなさい。
● 語数の目安は 25 語〜 35 語です。
● 解答が QUESTION に対応していないと判断された場合は，<u>0点と採点されることがあります</u>。QUESTION をよく読んでから答えてください。

QUESTION
What kind of book do you often read?

☑ **（3）**

● あなたは，外国人の友達から以下の QUESTION をされました。
● QUESTION について，あなたの考えとその<u>理由を2つ</u>英文で書きなさい。
● 語数の目安は 25 語〜 35 語です。
● 解答が QUESTION に対応していないと判断された場合は，<u>0点と採点されることがあります</u>。QUESTION をよく読んでから答えてください。

QUESTION
Where do you usually go with your friends?

解答例

(1)

QUESTION 訳

あなたは毎日朝食をとりますか？

解答例

No, I don't. I sometimes drink milk in the morning, but usually have nothing. I'm not hungry in the morning. Also, I usually have no time to eat because I can't get up early. （34 語）

解答例訳

いいえ、とりません。私はときどき朝に牛乳を飲みますが、たいてい何も食べません。午前中はおなかがすかないのです。また、私は早く起きられないので、たいてい食べる時間がありません。

---

(2)

QUESTION 訳

あなたはどんな種類の本をよく読みますか？

解答例

I often read comic books. My brother has a lot of comic books, so I often borrow some. Also, I feel happy when I read comic books. （27 語）

解答例訳

私はよく漫画本を読みます。兄が漫画本をたくさん持っているので、私はよく何冊かを借ります。また、漫画本を読むと私は幸せな気持ちになります。

---

(3)

QUESTION 訳

あなたは友達とふだんどこへ行きますか？

解答例

I usually go to the library with my friends. In the library, we can study together. Also, we can borrow many books and watch DVDs. （25 語）

解答例訳

私は友達とふだん図書館へ行きます。図書館の中では、私たちはいっしょに勉強することができます。また、私たちはたくさんの本を借りたり、DVD を見たりすることができます。

テーマ 3 やってみたいこと・行ってみたい場所

学習日	目標時間 1問	得点
/	**10**分	/3 合格点2点

☑ (1)

● あなたは，外国人の友達から以下の QUESTION をされました。
● QUESTION について，あなたの考えとその<u>理由を2つ</u>英文で書きなさい。
● 語数の目安は 25 語～ 35 語です。
● 解答が QUESTION に対応していないと判断された場合は，<u>0点と採点されること</u>があります。QUESTION をよく読んでから答えてください。

QUESTION
What do you want to do next year?

☑ (2)

● あなたは，外国人の友達から以下の QUESTION をされました。
● QUESTION について，あなたの考えとその<u>理由を2つ</u>英文で書きなさい。
● 語数の目安は 25 語～ 35 語です。
● 解答が QUESTION に対応していないと判断された場合は，<u>0点と採点されること</u>があります。QUESTION をよく読んでから答えてください。

QUESTION
What city do you want to visit?

☑ (3)

● あなたは，外国人の友達から以下の QUESTION をされました。
● QUESTION について，あなたの考えとその<u>理由を2つ</u>英文で書きなさい。
● 語数の目安は 25 語～ 35 語です。
● 解答が QUESTION に対応していないと判断された場合は，<u>0点と採点されること</u>があります。QUESTION をよく読んでから答えてください。

QUESTION
What kind of pet do you want to have?

解 答 例

(1)

あなたは来年，何をしたいですか？

解答例

 I want to join some volunteer activities next year. I learned about them in class last week, and I got interested in them. Also, I want to help someone. （29 語）

解答例訳

 私は来年，何かボランティア活動に参加したいです。私は先週，授業でそれらについて学び，興味を持ちました。また，私はだれかを助けたいです。

---

(2)

QUESTION 訳

あなたはどんな都市を訪れたいですか？

解答例

 I want to visit Kyoto. There are many famous temples in Kyoto such as Kiyomizu-dera Temple. Also, I have a friend who has moved to Kyoto, so I want to see him. （32 語）

解答例訳

 私は京都を訪れたいです。京都には清水寺のような有名なお寺がたくさんあります。また，私には京都へ引っ越した友達がいるので，彼に会いたいです。

---

(3)

QUESTION 訳

あなたはどんな種類のペットを飼いたいですか？

解答例

 I want to have a rabbit. Rabbits are my favorite animals because they are so cute. Also, I want to play with a rabbit in my house all day. （29 語）

解答例訳

 私はウサギを飼いたいです。ウサギはとてもかわいいので，私のお気に入りの動物です。また，私は家の中でウサギと一日中遊びたいです。

Part5 リスニング

※試験内容などは変わる場合があります

POINT・第1部

〈会話の応答文選択〉

形　式	イラストを見ながら対話を聞き，最後の発言に対する最も適切な応答を，放送される3つの選択肢の中から選ぶ
問 題 数	10問
解答時間	1問につき10秒
傾　向	A，B2人の対話がA→B→Aと読まれ，それに続くBの発言を選ぶ。放送文はそれぞれ一度だけ読まれる

テクニック❶　　イラストから状況をつかむ！

話者2人が描かれたイラストから，対話のテーマや状況，2人の関係についての情報をつかみましょう。話者の関係は友達，家族，教師と生徒などがよく出ます。

テクニック❷　　さまざまな応答のパターンを知ろう！

最後の発言が疑問文でない場合があります。選択肢中に答えの決め手となる語句が見つからなくても，慌てずに，選択肢から対話として自然な流れになる応答を選びましょう。

POINT・第2部

〈会話の内容一致選択〉

形　式	対話を聞き，その内容に関する質問の答えを4つの選択肢の中から選ぶ
問 題 数	10問
解答時間	1問につき10秒
傾　向	A，B2人による2往復の対話。放送文はそれぞれ二度ずつ読まれる

テクニック❸　選択肢を先に読む!

　選択肢はすべて問題用紙に印刷されています。放送文が始まる前に,**選択肢を読みましょう**。対話の状況や,質問内容を予想できれば,放送文の聞き取りが楽になります。完全に読み切る必要はなく,さっと目を通す程度で十分です。

　解答時間に余裕がなければ,問題の選択肢を無理にすべて読んだりせず,その場に応じて落ち着いて解きましょう。

テクニック❹　何を問われているか聞き取ろう!

　質問文は必ず疑問詞から始まります。「何についての質問か」「だれについての質問か」をしっかり聞き取りましょう。対話中に出てくる人名にも注意が必要です。また,文末の時・場所を示す語句を聞き間違うと,誤った選択肢を選んでしまいかねません。質問文は最後まで,注意して聞き取るようにしましょう。

● POINT・第3部

〈文の内容一致選択〉

形　式	英文を聞き,その内容に関する質問の答えを4つの選択肢の中から選ぶ
問 題 数	10問
解答時間	1問につき10秒
傾　向	3〜4文程度の英文。放送文はそれぞれ二度ずつ読まれる
対　策	物語文,説明文,アナウンス,それぞれのパターンに慣れておく

テクニック❺　放送中にメモを取る!

　第3部の放送文は,1問の中に日時や場所,そのほかの情報が複数出てくるので,聞きながらメモを取りましょう。さまざまな**情報の組み合わせを把握する**ことが重要です。人物の「時 – 行動」や,天気予報の「時間帯 – 天気」など,問題によっていろいろな組み合わせがあります。しっかり練習してパターンを把握しておきましょう。

① 質問に対する応答

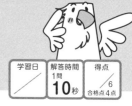

学習日	解答時間 1問 **10**秒	得点 6 合格点4点

イラストを参考にしながら対話と応答を聞き，最も適切な応答を 1，2，3 の中から一つ選びなさい。

No.1 TR **3**

No.2 TR **4**

No.3 TR **5**

No.4 TR **6**

No.5 TR **7**

No.6 TR **8**

Point! 対話は A → B → A の順に進み，それに続く<u>B</u>の発言を答える。

とくに A の最後の疑問文を集中して聞き取ろう！

解答と解説

No.1 TR 3

◀)) 放送文

Boy: I'm free after school.
Girl: Me, too. Let's play sports.
Boy: Good idea. Why don't we play tennis?

選択肢
1. That sounds great.
2. It will be cloudy today.
3. Here's your racket.

◀)) 放送文 訳

男の子：ぼくは放課後に時間があるんだ。
女の子：私も。スポーツをしましょうよ。
男の子：いい考えだね。テニスをしようか。

選択肢訳
1. それはいいわね。
2. 今日はくもりになるでしょう。
3. これがあなたのラケットよ。

正解 **1**

解説 最後の Why don't we ～ ? は「～しませんか」と提案する文。理由をたずねる文ではないので注意する。同意の表現として選択肢 1 が正解。選択肢 2，3 は最後の発言と合わない。

No.2 TR 4

◀)) 放送文

Son: Where did you get this cake, Mom?
Mother: It was a present from Mr. Long.
Son: It looks nice. May I have some?

選択肢
1. No, I'm full.
2. Sure, I like cooking.
3. Yes, go ahead.

◀)) 放送文 訳

息子：お母さん，どこでこのケーキを買ったの？
母親：それはロングさんからの贈り物よ。
息子：おいしそう。少し食べてもいい？

選択肢訳
1. いいえ，私は満腹よ。
2. もちろん，私は料理が好きよ。
3. ええ，どうぞ。

正解 **3**

解説 母親と息子の対話。May I ～ ? は「～してもよいですか」と許可を求める文で，ケーキを少し食べてもいいかとたずねている。許可する表現として選択肢 3 が正解。選択肢 1 の full は「満腹の」という意味。選択肢 2 は最後の発言とつながらない。

Part **5** リスニング・会話の応答文選択

🔊 放送文

Brother: I'm going shopping now.
Sister: Where are you going, Andy?
Brother: The new mall. Do you want to
come, too?

選択肢

1. Here we are.
2. I'd love to.
3. Have a nice trip.

🔊 放送文 訳

正解 **2**

兄：ぼくはこれから買い物に行くよ。
妹：どこへ行くの，アンディ？
兄：新しいモールだよ。きみも行かない？

選択肢訳

1. さあ着いたわ。
2. ぜひそうしたいわ。
3. いい旅を。

解説 兄と妹の対話。この Do you want to ～ ? は提案を表し，「～しませんか」という意味。同意は I'd love to. で表せるので，選択肢 **2** が正解。この love は「～が大好きである」という意味ではないことに注意しよう。選択肢 **3** は旅行に出かける人にかける言葉で，提案に対する答えになっていない。提案の表現としてはほかに，Why don't you ～ ? や Will you ～ ? などがある。

🔊 放送文

Woman: Good morning, Ted.
Man: Good morning, Ellen. Oh, you are
wearing new glasses.
Woman: Yes. What do you think?

選択肢

1. They're too expensive.
2. They're glasses, I think.
3. They look very nice.

🔊 放送文 訳

正解 **3**

女性：おはよう，テッド。
男性：おはよう，エレン。おや，きみは新しい眼鏡をかけているね。
女性：そうなの。あなたはどう思う？

選択肢訳

1. 高すぎるよ。
2. 眼鏡だと，ぼくは思うよ。
3. とてもすてきだよ。

解説 複数形 glasses は「眼鏡」という意味。What do you think? は「あなたはどう思いますか」と相手の意見を求める表現。新しい眼鏡をどう思うか答えているのは選択肢 **3** で，相手の服装などをほめるときに，look nice[great] などと言う。この look は「～に見える」という意味。男性は眼鏡の値段を知らないので，選択肢 **1** は不可。選択肢 **2** は感想ではないため不適切。

No.5 🔊 TR 7

🔊 放送文

Woman: Hi, Ryo. Are you coming to tomorrow's party?
Man: Yes. How about you?
Woman: Of course I am. Will you pick me up?

選択肢

1. Sure, I'll give you a ride.
2. OK. Let's walk.
3. No, I'm busy today.

🔊 放送文 訳

正解 1

女性：もしもし，リョウ。あなたは明日の
パーティーへ行く？
男性：うん。きみは？
女性：もちろん行くわ。車で私を迎えに来
てくれる？

選択肢訳

1. もちろん，きみを乗せていくよ。
2. いいよ。歩いていこう。
3. いいや，ぼくは今日忙しいんだ。

解説 最後の Will you 〜？は「〜してくれますか」という依頼の表現。pick 〜 up「〜
を車で迎えに行く」という熟語で，女性が男性に車で送ってほしいとお願いしている
ことを押さえる。この応答として選択肢 1 が適切。give 〜 a ride は「〜を車で送る」
という意味。選択肢 2，3 では対話の流れに合わない。

No.6 🔊 TR 8

🔊 放送文

Waitress: May I take your order?
Man: Yes. I'd like coffee.
Waitress: Would you like milk or sugar?

選択肢

1. I want two cups.
2. Just milk, please.
3. That will be three dollars.

🔊 放送文 訳

正解 2

ウエイトレス：ご注文を伺ってもよろしい
しょうか。
男性：ええ。コーヒーをください。
ウエイトレス：ミルクや砂糖はご利用にな
りますか。

選択肢訳

1. 2杯ください。
2. ミルクだけお願いします。
3. それは3ドルになります。

解説 イラストからカフェでの店員と客の対話だと分かる。coffee, milk の聞き取り
に注意。ウエイトレスは Would you like 〜？でミルクや砂糖がいるかどうかを確認
している。よって選択肢 2 が正解。How many 〜？(数)や How much 〜？(値段)の
文ではないので，選択肢 1，3 は不適切。食事の注文の場面で好みをたずねる表現は
ほかに，How do you like 〜？「〜をどうしますか」などがある。

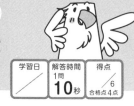

② 質問以外の文への応答

学習日	解答時間 1問 **10**秒	得点 ／6 合格点4点
／		

イラストを参考にしながら対話と応答を聞き，最も適切な応答を 1，2，3 の中から一つ選びなさい。

No.1 🔊 TR 9

No.2 🔊 TR 10

No.3 🔊 TR 11

No.4 🔊 TR 12

No.5 🔊 TR 13

No.6 🔊 TR 14

Point! 選択肢の直前の発言は，提案や人物の困っていることが多い。

会話の流れと状況から答えを予想する。

解答と解説

No.1 TR 9

◀)) 放送文

Girl: What's wrong, Adam?
Boy: Oh, I hurt my foot.
Girl: That's too bad. I'll go and call a doctor.

選択肢
1. It's my pleasure.
2. Get well soon.
3. That's very kind of you.

◀)) 放送文 訳

女の子：どうしたの，アダム？
男の子：ああ，ぼくは足を痛めたよ。
女の子：それはかわいそうに。私がお医者さんを呼びに行くわ。

選択肢訳
1. どういたしまして。
2. はやくよくなって。
3. どうも親切にありがとう。

正解 **3**

解説 イラストから，男の子は足にけがをしていることが分かる。I'll ～ . は女の子がその場で決めたことを表す。go and call a doctor「医者を呼びに行く」という女の子に対し，感謝を表す選択肢 **3** が正解。選択肢 **1** はお礼に対する返答。選択肢 **2** は病気やけがをしている相手に使う表現。

No.2 TR 10

◀)) 放送文

Student: I'm sorry, Ms. Smith.
Teacher: Jim, what did you do?
Student: I broke the window. I hit a ball into it.

選択肢
1. Don't be late again.
2. Well, are you all right?
3. Maybe some other time.

◀)) 放送文 訳

生徒：スミス先生，ごめんなさい。
教師：ジム，何をしたの？
生徒：窓を割ってしまいました。打ったボールが窓に当たったんです。

選択肢訳
1. 二度と遅刻してはいけません。
2. そう，あなたは大丈夫なの？
3. またほかのときにしましょう。

正解 **2**

解説 先生と生徒の会話。男の子は窓を割ったことを先生に謝っていて，先生は窓を割った男の子にけががないか心配している。選択肢 **2** が正解。選択肢 **3** は誘いを断るときの表現。

🔊 放送文

Customer: Hello.
Clerk: Hi, may I help you?
Customer: Well, I'm looking for flower
vases.

選択肢

1. Sorry, I'm not from here.
2. They're over there, sir.
3. No, thanks. I've got one.

🔊 放送文 訳

客：こんにちは。
店員：こんにちは，ご用件を伺います。
客：ええと，花びんを探しているのですが。

選択肢訳

1. すみませんが，こちらの者ではございません。
2. あちらにございます，お客様。
3. けっこうです。私は１つ持っています。

正解 **2**

解説 日用品売り場での店員と客の対話。最後の I'm looking for 〜 . は「私は〜を探しているのですが」という意味。花びんの売り場を答える選択肢 **2** が適切。over there は「あそこに，向こうに」という意味。買い物の場面で使われる会話表現はほかに，I'm just looking.「見ているだけです」や Do you have a bigger[smaller] one?「もう少し大きい[小さい]ものはありますか」などがある。

No.4 🔊 TR 12

🔊 放送文

Boy: We are busy this weekend.
Girl: Yeah. We have to finish our math
and science homework.
Boy: Hey, don't forget to do the English
homework, too.

選択肢

1. Oh, now I remember! Thanks.
2. Shall I help you?
3. It was too difficult.

🔊 放送文 訳

男の子：ぼくたちは今週末忙しいね。
女の子：そのとおり。私たちは数学と理科の宿題をしなければならないわ。
男の子：ねえ，英語の宿題をするのも忘れないで。

選択肢訳

1. ああ，今思い出したわ！　ありがとう。
2. 私，手伝いましょうか？
3. それは難しすぎたわ。

正解 **1**

解説 前半のやりとりから，女の子は英語の宿題について忘れていたことが分かる。最後の〈don't ＋動詞の原形〜 .〉は禁止を表す。「〜するのを忘れないで」と言われて「思い出したわ」と答える選択肢 **1** が正解。男の子が女の子に宿題をするように言っていることから，女の子から手伝いを申し出る選択肢 **2** は不可。まだ宿題はしていないので，選択肢 **3** も不可。

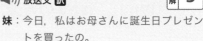

🔊)) 放送文

Sister: I got a birthday present for Mom today.
Brother: Have you decorated it?
Sister: No, not yet. Well, I need a ribbon.

選択肢
1. She is 40 years old.
2. Thank you for your present.
3. I have a red one in my desk.

🔊)) 放送文 訳　　正解 **3**

妹：今日，私はお母さんに誕生日プレゼントを買ったの。
兄：それを飾った？
妹：ううん，まだよ。ええと，リボンが必要ね。

選択肢訳
1. 彼女は 40 歳だよ。
2. プレゼントをありがとう。
3. ぼくの机の中に赤いのがあるよ。

解説 母親の誕生日プレゼントが話題。最後の文で，妹はラッピングにリボンが必要だと言っているので，選択肢 **3** が正解。ribbon の聞き取りにも注意。選択肢の a red one は a red ribbon を表す。選択肢 **1**，**2** は話題と合っているが，最後の文とはつながらない。

No.6 🔊)) TR 14

🔊)) 放送文

Father: What do you want to eat for lunch?
Daughter: How about a chicken sandwich?
Father: Good idea, but we don't have any chicken.

選択肢
1. OK, I'll get some.
2. It tastes great, Dad.
3. This is a nice kitchen.

🔊)) 放送文 訳　　正解 **1**

父親：お昼ごはんに何を食べたい？
娘：チキンサンドイッチはどう？
父親：いいけれど，鳥肉がないよ。

選択肢訳
1. 大丈夫，私が買ってくるわ。
2. お父さん，それはとてもおいしいわよ。
3. これはいいキッチンね。

解説 お昼ごはんに何を食べるかを相談している親子の対話。父親の最後の発言「鳥肉がない」を受ける選択肢 **1** が正解。この get は「〜を買う」という意味。選択肢 **2**，**3** は最後の文とつながらない。カタカナ語になっている chicken，sandwich，kitchen の聞き取りにも注意。

Part **5** リスニング・会話の応答文選択

テーマ
1 行動を問う問題
(What, Why の質問文)

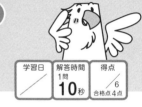

学習日	解答時間 1問 10秒	得点 /6 合格点4点

対話と質問を聞き，その答えとして最も適切なものを 1, 2, 3, 4 の中から一つ選びなさい。

No.1
◀) TR 16
1. Play chess.　　　　　　**2**. Clean the gym.
3. Watch a sports game.　**4**. Practice basketball.

No.2
◀) TR 17
1. He was sick.　　　　　**2**. He was injured.
3. He had an accident.　**4**. He visited his friend.

No.3
◀) TR 18
1. She was in the parade.　**2**. She sang songs.
3. She enjoyed dancing.　**4**. She had a concert.

No.4
◀) TR 19
1. She lost her bike.
2. Something is wrong with her bike.
3. She can't find the key.
4. Her pockets are empty.

No.5
◀) TR 20
1. Get some postcards.　**2**. Close a window.
3. Send a box.　　　　　**4**. Buy a stamp.

No.6
◀) TR 21
1. He doesn't help her.　**2**. She is too busy.
3. He bought a new game.　**4**. He hasn't done his homework yet.

Point! 選択肢が〈動詞の原形＋語句〉や文のときは，what や why で始まり，行動を問う質問文の可能性が高い。対話に登場する人物の行動に注意して聞き取ろう。

解答と解説

No.1 ◀)) TR 16

◀)) 放送文

A: Hi, Claire. Let's play chess in my room.
B: Sorry, Eric. I'm going to the gym.
A: Are you going to do some sports?
B: No. I'll watch a basketball game.

Question: What will Claire do now?

◀)) 放送文 訳

正解 **3**

A：やあ，クレア。ぼくの部屋でチェスをしようよ。
B：ごめんなさい，エリック。私は体育館に行くの。
A：きみは何かスポーツをするの？
B：いいえ。私はバスケットボールの試合を見るつもりよ。

質問：クレアはこれから何をする予定ですか。

選択肢訳 1. チェスをする。　　2. 体育館を掃除する。
　　3. スポーツの試合を見る。　　4. バスケットボールの練習をする。

解説 クレアがこれからすることを選ぶ。最後の発言 watch a basketball game「バスケットボールの試合を見る」から，選択肢 **3** が正解。

No.2 ◀)) TR 17

◀)) 放送文

A: Good morning, Kay.
B: Good morning, Matt. Did you see the doctor yesterday?
A: Yes, I've had a cold. But I'm better now.
B: Take care of yourself.
Question: Why did Matt go to the doctor yesterday?

◀)) 放送文 訳

正解 **1**

A：おはよう，ケイ。
B：おはよう，マット。あなたは昨日お医者さんに見てもらったの？
A：ああ，かぜをひいているんだ。でも今は具合がよくなったよ。
B：お大事にね。

質問：マットは昨日なぜ医者へ行ったのですか。

選択肢訳 1. 彼は病気だった。　　2. 彼はけがをした。
　　3. 彼は事故に遭った。　　4. 彼は友だちを訪ねた。

解説 マットが病院へ行った理由を選ぶ。マットの2回目の発言 a cold は「寒い」ではなく「かぜ」の意味なので，これを sick「病気の」で言い換えた選択肢 **1** が正解。

No.3 🔊 TR 18

🔊 放送文

A: Anna, did you go to the festival last Sunday?

B: Yes, I was in the parade. How about you, Paul?

A: I went to the concert. I enjoyed singing and dancing.

B: Sounds like fun.

Question: What did the girl do on Sunday?

🔊 放送文 訳　　　　正解 1

A: アンナ，きみはこの前の日曜日は祭りに行ったの？

B: ええ，私はパレードに参加したわ。あなたは，ポール？

A: 祭りのコンサートに行ったよ。歌ったり踊ったりして楽しんだよ。

B: 楽しそうね。

質問：女の子は日曜日に何をしましたか。

選択肢訳　1. 彼女はパレードに参加した。　　2. 彼女は歌を歌った。
　　　　　3. 彼女は踊って楽しんだ。　　　　4. 彼女はコンサートを開いた。

解説　女の子が日曜日にしたことを選ぶ。最初の発言 was in the parade「パレードに参加した」がポイント。選択肢 2，3 は男の子がしたことなので，不適切。選択肢 1 が正解。

No.4 🔊 TR 19

🔊 放送文

A: Dad, may I use your bike this afternoon?

B: OK. Is anything wrong with yours, Sally?

A: No, but I've lost my key.

B: That's too bad. Did you check your pockets?

Question: What is Sally's problem?

🔊 放送文 訳　　　　正解 3

A: お父さん，今日の午後，自転車を借りてもいい？

B: いいよ。きみの自転車は故障でもしているのかな，サリー？

A: ううん，でもかぎをなくしてしまったの。

B: それは大変だ。きみはポケットを確認したかい？

質問：サリーの問題は何ですか。

選択肢訳　1. 彼女は自転車をなくした。　　2. 彼女の自転車が故障している。
　　　　　3. かぎが見つからない。　　　　4. 彼女のポケットが空である。

解説　対話全体から考える。自転車自体に問題はないが，女の子の 2 回目の発言 I've lost my key「かぎをなくしてしまった」から，自転車のかぎをなくしたことが分かる。選択肢 3 が正解。

No.5 TR 20

📢 放送文

A : Excuse me. Is there a post office near here?

B : Yes, but it's closed. Do you want to send something?

A : No, I just want a stamp.

B : Go to that store. You can buy one there.

Question: What does the woman want to do?

📢 放送文 訳

正解 **4**

A : すみません。この近くに郵便局はありますか。

B : はい，でも閉まっていますよ。あなたは何か送りたいのですか。

A : いいえ，ただ切手が欲しいんです。

B : あの店へ行ってください。あそこで買えますよ。

質問：女性は何をしたいと思っていますか。

選択肢訳 1. 郵便はがきを買う。　　　2. 窓を閉める。
　　　　3. 箱を送る。　　　4. 切手を買う。

解説 女性がしたいことを選ぶ。女性の2回目の発言 want a stamp「切手が欲しい」がヒント。言い換えると Buy a stamp.「切手を買う」なので，選択肢 **4** が正解。

Part 5

リスニング・会話の内容一致選択

No.6 TR 21

📢 放送文

A : Have you finished your homework, Frank?

B : Not yet ... I was too busy, Mom.

A : Busy? You are always playing a video game. Do your homework first!

B : Sorry, I will, Mom.

Question: Why is Frank's mother angry?

📢 放送文 訳

正解 **4**

A : 宿題は終わったの，フランク？

B : まだだよ…ぼくはとても忙しかったんだ，お母さん。

A : 忙しい？　あなたはいつもテレビゲームをしてばかりいるじゃないの。先に宿題をしなさい！

B : ごめんなさい，するよ，お母さん。

質問：なぜフランクのお母さんは怒っているのですか。

選択肢訳 1. 彼は彼女を手伝わない。　　　2. 彼女は忙しすぎる。
　　　　3. 彼は新しいゲームを買った。　　　4. 彼はまだ宿題をしていない。

解説 母親が怒っている原因を選ぶ。母親の発言から，フランクが宿題をせずにゲームばかりしていることに腹を立てていると分かるので，選択肢 **4** が正解。

テーマ 2 人物を問う問題
(Who, Whose の質問文)

学習日	解答時間 1問	得点
／	**10**秒	／6 合格点4点

対話と質問を聞き，その答えとして最も適切なものを 1，2，3，4 の中から一つ選びなさい。

No.1
🔊 TR 22
1. Koji.　　　　　　　**2**. Miho.
3. Mr. Brown.　　　　**4**. Yuri.

No.2
🔊 TR 23
1. Her sister.　　　　**2**. Tim's sister.
3. Her uncle.　　　　**4**. Tim's uncle.

No.3
🔊 TR 24
1. Mr. White's.　　　**2**. Kathy's.
3. Kathy's father's.　**4**. Kathy's mother's.

No.4
🔊 TR 25
1. A nurse.　　　　　**2**. A teacher.
3. A doctor.　　　　　**4**. A police officer.

No.5
🔊 TR 26
1. His own.　　　　　**2**. Betty's.
3. His brother's.　　**4**. His father's.

No.6
🔊 TR 27
1. Mary's.　　　　　**2**. Janet's.
3. Bill's.　　　　　　**4**. His own.

Point! 選択肢が人を表す語句の場合は who の質問文が出題される。

選択肢が所有代名詞の場合は whose の質問文が出題される。

解答と解説

No.1 🔊 TR 22

🔊 **放送文**

A: Koji, Miho, clean the blackboard, please. It's your turn.
B: Mr. Brown, they aren't here now. I will do it.
A: Thank you very much, Yuri.
B: No problem.
Question: Who will clean the blackboard now?

🔊 **放送文 訳**

A: コウジ，ミホ，黒板を消してください。あなたたちの当番ですよ。
B: ブラウン先生，彼らは今ここにいません。私がします。
A: どうもありがとう，ユリ。
B: どういたしまして。
質問: だれがこれから黒板を消すでしょうか。

正解 **4**

選択肢訳 1. コウジ。　2. ミホ。　3. ブラウン先生。　4. ユリ。

解説 女の子の最初の発言 I will do it.「私がします」が手がかり。直後の先生の発言から，対話の相手はユリだと分かる。よって，選択肢 **4** が正解。

No.2 🔊 TR 23

🔊 **放送文**

A: Amy, do you have any plans for this weekend?
B: Yes, Tim. I'll visit my sister on Saturday.
A: Then what will you do?
B: On Sunday, we'll visit my uncle in the hospital.
Question: Who will the woman visit next Sunday?

🔊 **放送文 訳**

A: エイミー，きみは今週末に何か予定があるの？
B: ええ，ティム。私は土曜日に姉を訪ねる予定よ。
A: それで何をするの？
B: 日曜日に，私たちは入院しているおじのお見舞いに行くつもりなの。
質問: 女性は今度の日曜日にだれを訪ねるつもりですか。

 正解 **3**

選択肢訳 1. 彼女のお姉さん。　2. ティムのお姉さん。
3. 彼女のおじさん。　4. ティムのおじさん。

解説 女性が日曜日に訪ねる予定の人物を答える。最後の発言に visit my uncle とあるので，選択肢 **3** が正解。土曜日ではないため選択肢 **1** は不可。

Part **5** リスニング・会話の内容一致選択

🔊 放送文

A: Thank you for coming last night, Mr. White. My father was very happy.

B: It was a great party. Did he like my present?

A: Yes, he did. He wanted a new tie.

B: I'm glad to hear that, Kathy.

Question: Whose birthday party was last night?

🔊 放送文 訳

 正解 **3**

A：昨晩は来てくださってありがとうございます，ホワイトさん。父はとても喜んでいました。

B：すばらしいパーティーだったね。彼は私のプレゼントを気に入ったかな？

A：ええ，気に入りました。彼は新しいネクタイを欲しがっていたんです。

B：それを聞いてうれしいよ，キャシー。

質問：昨晩はだれの誕生日パーティーでしたか。

選択肢訳 **1**. ホワイトさん。　　　　　　**2**. キャシー。

3. キャシーのお父さん。　　　　**4**. キャシーのお母さん。

解説 最初のやりとりから，キャシーの父親のためのパーティーだったことが分かる。選択肢 **3** が正解。

🔊 放送文

A: There was a phone call from a nurse just now.

B: For what?

A: You forgot your wallet in the hospital. She wants you to pick it up.

B: I didn't know it was missing!

Question: Who called the woman?

🔊 放送文 訳

正解 **1**

A：たった今，看護師さんから電話があったよ。

B：どうして？

A：きみは病院に財布を忘れたんだ。彼女はきみにそれを取りに来てほしいそうだよ。

B：私はそれがなくなっていることに気づかなかったわ！

質問：だれが女性に電話しましたか。

選択肢訳 **1**. 看護師。　　**2**. 教師。　　**3**. 医師。　　**4**. 警察官。

解説 男性の最初の発言から，女性に電話した人物が分かる。選択肢 **1** が正解。質問文の call は「～に電話をする」という意味で，「～を呼ぶ」とは異なるので注意しよう。

◀)) 放送文

A: Is this your glove, Andy?
B: No, Betty, it's my brother's. I practiced baseball with it today.
A: It's a nice glove. Is yours broken?
B: Yes, I need a new one.

Question: Whose glove did Andy use today?

◀)) 放送文 訳

A: これはあなたのグローブ，アンディ？
B: ううん，ベティ，兄のものだよ。今日それを使って野球の練習をしたんだ。
A: いいグローブね。あなたのは破れているの？
B: うん，新しいのが必要だよ。
質問：アンディは今日，だれのグローブを使いましたか。

正解 **3**

選択肢訳 1. 彼自身のもの。　　　　2. ベティのもの。
　　　　3. 彼のお兄さんのもの。　　4. 彼のお父さんのもの。

解説 アンディの最初の発言が重要。practiced baseball with it「それを使って野球の練習をした」の it は，直前の my brother's (glove) を受ける。よって，選択肢 **3** が正解。

◀)) 放送文

A: I left my math textbook at home. Can I borrow yours, Tom?
B: Mary, this isn't mine. I borrowed it from Janet. I can't lend it to you.
A: What should I do?
B: You should ask Bill. He'll help you.

Question: Whose textbook does Tom have now?

◀)) 放送文 訳

A: 数学の教科書を家に忘れたわ。あなたのものを借りてもいい，トム？
B: メアリー，これはぼくのものではないよ。ジャネットから借りているんだ。貸せないよ。
A: どうしたらいいの？
B: ビルに聞いてみるといいよ。彼がきみを助けてくれるよ。
質問：トムは今だれの教科書を持っているでしょうか。

正解 **2**

選択肢訳 1. メアリーのもの。　　　2. ジャネットのもの。
　　　　3. ビルのもの。　　　　　4. 彼自身のもの。

解説 トムの最初の発言から，彼はジャネットから教科書を借りたと分かるので，選択肢 **2** が正解。

テーマ
3 時・場所を問う問題
（When，Where の質問文）

学習日 ／

解答時間
1問
10秒

得点 ／6
合格点4点

対話と質問を聞き，その答えとして最も適切なものを 1，2，3，4 の中から一つ選びなさい。

No.1
📢 TR 28
1. In the gym.　　　　　　　**2**. On the beach.
3. In the park.　　　　　　　**4**. In the schoolyard.

No.2
📢 TR 29
1. In the summer.　　　　　　**2**. In the winter.
3. Two days ago.　　　　　　**4**. Three weeks ago.

No.3
📢 TR 30
1. On Saturday.　　　　　　　**2**. On Sunday.
3. On Monday.　　　　　　　**4**. Tomorrow morning.

No.4
📢 TR 31
1. In a DVD shop.　　　　　　**2**. In a supermarket.
3. In a bookstore.　　　　　　**4**. At a movie theater.

No.5
📢 TR 32
1. In Brazil.　　　　　　　　**2**. In the United States.
3. In Australia.　　　　　　　**4**. In Canada.

No.6
📢 TR 33
1. At 9:00 p.m.　　　　　　　**2**. At 11:00 p.m.
3. Before midnight.　　　　　　**4**. Around 1:00 a.m.

解答と解説

No.1 🔊 TR 28

🔊 放送文

A: Becky, would you like to play volleyball?
B: Yes! Let's go to the gym.
A: It's always crowded. How about the beach?
B: Good idea. Let's go by bike.
Question: Where will they play volleyball?

🔊 放送文 訳

A: ベッキー，バレーボールをしない？
B: ええ！ 体育館へ行きましょう。
A: あそこはいつも混んでいるよ。浜辺で
はどうかな？
B: いい考えね。自転車で行きましょう。

質問: 彼らはどこでバレーボールをするで
しょうか。

正解 **2**

選択肢訳 **1**. 体育館。　　**2**. 浜辺。　　**3**. 公園。　　**4**. 校庭。

解説 最後の発言 Good idea. は同意を表す。バレーボールをする場所としてベッキー
はまず gym「体育館」を提案したが，その後 beach「浜辺」へ行くことに賛成したので，
選択肢 **2** が正解。

No.2 🔊 TR 29

🔊 放送文

A: How was your winter vacation?
B: Great. I was in Brisbane for three weeks.
A: That's a nice place. Do you often visit there?
B: No, not really. I've only been there twice.
Question: When did the man visit Brisbane?

🔊 放送文 訳

A: 冬の休暇はどうでしたか。
B: とてもよかったです。私はブリスベン
に3週間滞在しました。
A: すてきな場所ですよね。あなたはそこ
をよく訪れますか。
B: いや，そうでもありません。私はそこ
へ2回しか行ったことがありません。

質問: 男性はブリスベンをいつ訪れました
か。

正解 **2**

選択肢訳 **1**. 夏。　　**2**. 冬。　　**3**. 2日前。　　**4**. 3週間前。

解説 最初のやりとりから，話題は winter vacation「冬の休暇」だと分かる。したがっ
て，選択肢 **2** が正解。three weeks「3週間」は滞在期間なので，選択肢 **4** は不可。

Part **5** リスニング・会話の内容一致選択

🔊 放送文

A: When do you want to go fishing?

B: It'll rain on Sunday, so Saturday is better.

A: It'll be windy on the weekend. How about Monday morning?

B: That would be nice. Next Monday is a holiday.

Question: When will they go fishing?

🔊 放送文 訳

正解 **3**

A: きみはいつ魚釣りに行きたい?

B: 日曜日は雨が降るから, 土曜日のほうがいいな。

A: 週末は風が強くなりそうだね。月曜日の朝はどうかな?

B: それはいいわね。今度の月曜日は祝日だから。

質問:彼らはいつ魚釣りへ行くでしょうか。

選択肢訳 **1**. 土曜日。 **2**. 日曜日。

3. 月曜日。 **4**. 明日の朝。

解説 日曜日は雨天, 土曜日は強風のため避けることになった。2回目のやりとりから, 最終的に月曜日の朝に魚釣りに行くことに決まったことが分かる。よって, 選択肢**3**が正解。

🔊 放送文

A: Next please.

B: Hello. I'd like two adult tickets for Great Adventure at 3: 00, please.

A: Certainly. That'll be 16 dollars.

B: OK. Here you are.

Question: Where are they talking?

🔊 放送文 訳

正解 **4**

A: 次の方どうぞ。

B: こんにちは。3時の回の「グレート・アドベンチャー」のチケットを大人2枚ください。

A: かしこまりました。16ドルになります。

B: 分かりました。はいどうぞ。

質問:彼らはどこで話していますか。

選択肢訳 **1**. DVDショップ。 **2**. スーパーマーケット。

3. 書店。 **4**. 映画館。

解説 対話の流れやキーワードを把握し, 2人が話している場所を考える。ticket「チケット」を買っている場面なので, 選択肢**4**が正解。「映画の題名＋時刻(Great Adventure at 3:00)」もヒントになる。

■)) 放送文

A: I was born in Brazil, and I grew up in the United States.
B: Do you live in America now?
A: No, I live in Australia. I am here in Canada on vacation.
B: Enjoy your stay in Canada.

Question: Where did the woman grow up?

■)) 放送文 訳

正解 **2**

A: 私はブラジルで生まれて，アメリカ合衆国で育ちました。
B: あなたは今アメリカに住んでいるのですか。
A: いいえ，私はオーストラリアに住んでいます。ここカナダには休暇で来ています。
B: カナダ滞在を楽しんでください。
質問: 女性はどこで育ちましたか。

選択肢訳 1. ブラジル。 2. アメリカ合衆国。
3. オーストラリア。 4. カナダ。

解説 1文目の grew の原形は grow。これに注意すれば，最初の発言で選択肢 **2** が正解だと分かる。地名と女性の行動・状態をメモしながら聞こう。生まれた場所である選択肢 **1** と間違えないように注意。

No.6 TR 33

■)) 放送文

A: You look very sleepy, Nate.
B: I usually go to bed before midnight, but I went to bed around 1:00 a.m.
A: Oh, really?
B: I watched soccer from 9:00 to 11:00. I was too excited to sleep!

Question: When does the boy usually go to bed?

■)) 放送文 訳

正解 **3**

A: あなたはとても眠そうだね，ネイト。
B: ぼくはふだん深夜 12 時よりも前に寝るんだけど，昨夜は午前 1 時ごろに寝たんだ。
A: ええ，本当に？
B: 9 時から 11 時までサッカーを見たんだ。興奮しすぎて眠れなかった！
質問: 男の子はふだんいつ就寝しますか。

選択肢訳 1. 午後 9 時。 2. 午後 11 時。
3. 深夜 12 時前。 4. 午前 1 時ごろ。

解説 男の子のふだんの就寝時刻は，彼の最初の発言から，選択肢 **3** が正解。選択肢 **4** は昨夜の就寝時刻なので不可。時刻をメモしながら対話を聞こう。

1 物語文① (What, Why の質問文)

| 学習日 | 解答時間
1問
10秒 | 得点
／6
合格点4点 |

英文と質問を聞き，その答えとして最も適切なものを 1, 2, 3, 4 の中から一つ選びなさい。

No.1
◀)) TR 35

1. Move to Hawaii.
2. Learn how to dance.
3. Swim in the city pool.
4. Start a band.

No.2
◀)) TR 36

1. He walked his dog.
2. He helped his father.
3. He went shopping.
4. He got a new house.

No.3
◀)) TR 37

1. Teach high school students.
2. Have a job experience.
3. Take care of sick people.
4. Work at a nursery school.

No.4
◀)) TR 38

1. His school trip.
2. His favorite train.
3. The weather in the mountains.
4. Sightseeing with his family.

No.5
◀)) TR 39

1. She studied for a test.
2. She had a math test.
3. She was good at English.
4. She did well on a test.

No.6
◀)) TR 40

1. The bookstore was not open.
2. The bookstore had no comics.
3. His favorite comic was sold out.
4. The Internet was faster.

Point! 人物の行動と，その理由に注意！

質問文は最後まで集中して聞こう。

解答と解説

No.1 🔊 TR 35

🔊 放送文

Erica is looking forward to her summer vacation. She has some plans. She wants to visit Hawaii and swim in the sea. She will also learn how to dance to Hawaiian music.

Question: What will Erica do during her summer vacation?

🔊 放送文 訳

正解 **2**

エリカは夏休みを楽しみにしている。彼女には計画がいくつかある。彼女はハワイを訪れて，海で泳ぎたいと思っている。また，彼女はハワイ音楽に合わせた踊りも習うつもりだ。

質問：エリカは夏休みの間に何をする予定ですか。

選択肢訳 **1.** ハワイへ引っ越す。 **2.** 踊りを習う。 **3.** 市民プールで泳ぐ。 **4.** 音楽バンドを始める。

解説 放送文に出てくる行動はすべてエリカの夏休みの計画。そのうち選択肢と一致するものを答える。最終文の learn how to dance と一致する選択肢 **2** が正解。海で泳ぐ予定なので，選択肢 **3** は不可。

No.2 🔊 TR 36

🔊 放送文

Last Sunday Mark built a doghouse. His father helped him. They went to a store and bought some wood. Then, they made the doghouse and painted it. Now their dog Molly lives in it.

Question: What did Mark do last Sunday?

🔊 放送文 訳

 正解 **3**

この前の日曜日に，マークは犬小屋を建てた。お父さんが彼を手伝った。彼らは店へ行き，木材を買った。それから，犬小屋を作り，それにペンキを塗った。今，愛犬のモリーがそこに住んでいる。

質問：マークはこの前の日曜日に何をしましたか。

選択肢訳 **1.** 彼は犬を散歩させた。 **2.** 彼はお父さんを手伝った。 **3.** 彼は買い物に行った。 **4.** 彼は新しい家を買った。

解説 放送文は最終文を除き，マークが日曜日にしたことなので，その内容と合致する選択肢を選ぶ。第3文の went to a store and bought some wood を went shopping と言い換えた選択肢 **3** が正解。選択肢 **2** は主語と目的語が放送文と逆のため，不適切。

🔊 放送文 　　　　　　　　　　🔊 放送文 訳　　　　　正解 **4**

I'm a junior high school student. I worked at a nursery school in a 5-day job experience program. It was fun. I hope to be a nursery school teacher in the future.

Question: What does the girl hope to do in the future?

私は中学生です。私は5日間の職業体験で保育園で働きました。楽しかったです。私は将来，保育士になることを希望しています。

質問：女の子は将来，何をすることを希望していますか。

選択肢訳 **1**. 高校生を教える。　　　　**2**. 職業体験をする。
　　　　3. 病気の人の世話をする。　**4**. 保育園で働く。

解説 質問文の the girl は放送文の話し手の I を指す。最終文に注目し，本文の be a nursery school teacher を work at a nursery school に言い換えた選択肢 **4** が正解。nursery school「保育園」，job experience program「職業体験」。選択肢 **2** はすでにしたことなので不適切。

🔊 放送文 　　　　　　　　　　🔊 放送文 訳　　　　　正解 **1**

We are going on a school trip to Tokyo next week. We will go by train. If it's clear, we will see Mt. Fuji on the way. I will enjoy sightseeing in Tokyo with my classmates.

Question: What is the boy talking about?

ぼくたちは来週，東京に修学旅行へ行きます。ぼくたちは列車で行く予定です。もし晴れていれば，途中で富士山が見えるでしょう。ぼくはクラスメートと東京で観光を楽しむつもりです。

質問：男の子は何について話していますか。

選択肢訳 **1**. 修学旅行。　　　　　　**2**. お気に入りの列車。
　　　　3. 山の天気。　　　　　　**4**. 家族との観光。

解説 質問文の the boy は話し手の I を指す。「何について話しているか」という問いなので，1語1語ではなく放送文全体から考える。最初の文がキーセンテンスであり，そのあとに続くのはすべて修学旅行のこと。よって，選択肢 **1** が正解。clear「快晴の」，sightseeing「観光」。

🔊 放送文

　　Last week Pam studied for a science test very hard. Then she took the test. Yesterday, she got the test back. She was very happy because she got a perfect score.

Question: Why was Pam happy?

🔊 放送文 訳 　　　　　　正解 **4**

　先週，パムは理科のテストのためにとても一生懸命勉強した。そして，彼女はテストを受けた。昨日，そのテストが返ってきた。彼女は満点を取ったので，とてもうれしかった。

質問：パムはどうしてうれしかったのですか。

選択肢訳 **1**. 彼女は試験勉強をした。　　　　　**2**. 彼女には数学の試験があった。
　　　　　3. 彼女は英語が得意だった。　　　　**4**. 彼女は試験がよくできた。

解説 最終文の She was very happy のあとに because 〜と理由が述べられている。got a perfect score「満点を取った」を did well on a test「試験がよくできた」と言い換えた選択肢 **4** が正解。

🔊 放送文

　　Kevin likes to read comic books. He went to a large bookstore to buy his favorite comic books. But the store was closed, so he ordered them on the Internet.

Question: Why did Kevin order the books on the Internet?

🔊 放送文 訳 　　　　　　正解 **1**

　ケビンは漫画を読むのが好きだ。彼は好きな漫画の本を買いに，大きな書店へ行った。しかし，その店は閉まっていたので，彼はそれらをインターネットで注文した。

質問：なぜケビンは本をインターネットで注文したのですか。

選択肢訳 **1**. 書店が開いていなかった。　　　　**2**. 書店に漫画がなかった。
　　　　　3. 好きな漫画が売り切れていた。　　**4**. インターネットのほうが早かった。

解説 最終文に so he ordered ... on the Internet とあるので，so の直前がインターネットで注文した理由である。本文の closed「閉まっている」を not open「開いていない」と言い換えた選択肢 **1** が正解。この open は「(店などが)開いている，営業中」という意味の形容詞。

Part **5** リスニング・文の内容一致選択

英文と質問を聞き，その答えとして最も適切なものを 1, 2, 3, 4 の中から一つ選びなさい。

No.1
🔊 TR **41**
1. On Monday and Wednesday.
2. On Tuesday.
3. On Friday.
4. On weekend.

No.2
🔊 TR **42**
1. In April.
2. In October.
3. In September.
4. In July.

No.3
🔊 TR **43**
1. A baseball stadium.
2. A planetarium.
3. A zoo.
4. A museum.

No.4
🔊 TR **44**
1. In his bedroom.
2. In the kitchen.
3. In the living room.
4. In the yard.

No.5
🔊 TR **45**
1. She used her bike.
2. She walked.
3. She took a train.
4. She went by car.

No.6
🔊 TR **46**
1. Once a month.
2. Once a year.
3. Twice a year.
4. Three times a year.

解答と解説

No.1 ◀)) TR 41

◀)) 放送文

Julie is very busy next week. On Monday and Wednesday, she'll work in a restaurant after school. On Tuesday, she'll help a volunteer group. On Friday, she'll have a piano lesson.

Question: When will Julie work as a volunteer?

◀)) 放送文 訳

正解 **2**

ジュリーは来週とても忙しい。月曜日と水曜日に, 彼女は放課後, レストランで働く予定だ。火曜日に, 彼女はボランティアのグループを手伝う予定だ。金曜日に, 彼女はピアノのレッスンを受ける予定だ。

質問：ジュリーはいつボランティアとして活動する予定ですか。

選択肢訳 1. 月曜日と水曜日。 2. 火曜日。
3. 金曜日。 4. 週末。

解説 質問文の work as a volunteer は, 第3文の help a volunteer group の言い換え表現。よって, 選択肢 **2** が正解。選択肢 **1** はアルバイト, 選択肢 **3** はピアノのレッスンの日。選択肢から when の質問文を予測し, 曜日と行動の組み合わせが複数出てくるので, メモを取りながら聞こう。

No.2 ◀)) TR 42

◀)) 放送文

I like traveling. I want to travel around Europe. I visited Italy in April two years ago. I went to Spain last July. Now I'm planning to visit France in October.

Question: When did the man visit Spain?

◀)) 放送文 訳

私は旅行が好きです。ヨーロッパ中を旅行したいと思っています。2年前の4月, イタリアを訪れました。昨年の7月には, スペインへ行きました。現在, 私は10月にフランスを訪れる計画を立てています。

質問：男性はいつスペインを訪れましたか。

選択肢訳 1. 4月。 2. 10月。 3. 9月。 4. 7月。

解説 質問文の the man は, 放送文の話し手の I を指す。第4文に last July とあるので, 選択肢 **4** が正解。選択肢 **1** はイタリア, 選択肢 **2** はフランスを訪れる予定の月。

◀)) 放送文

　Jill is going to visit a park with her family next Tuesday. It has a planetarium and a zoo. In the morning, they'll visit the zoo. After lunch, they'll watch the planetarium show.

Question: Where will Jill go on Tuesday morning?

◀)) 放送文 訳　　　　　　　正解 **3**

　ジルは今度の火曜日に家族と公園を訪れるつもりだ。そこにはプラネタリウムと動物園がある。午前中に，彼らは動物園を訪れる予定だ。昼食のあと，彼らはプラネタリウムのショーを見る予定だ。

質問：ジルは火曜日の午前中，どこへ行く予定ですか。

選択肢訳　**1**. 野球場。　　　　　　**2**. プラネタリウム。
　　　　　3. 動物園。　　　　　　**4**. 美術館。

解説 ジルは火曜日に公園に行く予定であり，公園内にプラネタリウムや動物園があることを把握しよう。質問文は，午前中に行く場所をたずねている。In the morning で始まる第3文が手がかり。午前は動物園，午後はプラネタリウムに行く予定。よって正解は選択肢 **3**。質問文の morning を聞き逃すと選択肢 **2** か **3** で迷ってしまうので注意。

◀)) 放送文

　This morning Roy couldn't find his cell phone. So he looked for it in his bedroom. He went to the living room and the kitchen, too. At last, he found it under his bed.

Question: Where did Roy find his cell phone this morning?

◀)) 放送文 訳　　　　　　　正解 **1**

　今朝，ロイは携帯電話を見つけることができなかった。そこで彼は自分の寝室でそれを捜した。彼は居間と台所にも行った。結局，それを彼のベッドの下で見つけた。

質問：ロイは今朝どこで自分の携帯電話を見つけましたか。

選択肢訳　**1**. 寝室。　　　　　　**2**. 台所。
　　　　　3. 居間。　　　　　　**4**. 庭。

解説 find の過去形は found。最終文に found it (= his cell phone) under his bed「ベッドの下で見つけた」とある。つまり bedroom「寝室」にあったということなので，正解は選択肢 **1**。最終文には直接 bedroom という語は出てこないため，under his bed から推測する必要がある。

◀))) 放送文

　I am a high school student. I usually go to school by bike. Last night it snowed. There was a lot of snow on the streets this morning. So I went to school in my father's car.

Question: How did the girl get to school today?

◀)) 放送文 訳

　私は高校生です。私はふだん自転車で通学しています。昨晩は雪が降りました。今朝は通りに雪がたくさん積もっていました。そこで私は父の車で学校へ行きました。

質問：女の子は今日どのようにして登校しましたか。

選択肢訳 **1**. 彼女は自転車を使った。　　　　**2**. 彼女は歩いた。
　　　　 3. 彼女は電車を利用した。　　　　**4**. 彼女は車で行った。

解説 質問文の the girl は，放送文の話し手の I を指し，how は手段をたずねる。女の子の今日の登校手段を聞かれているので，最終文から，選択肢 **4** が正解。選択肢 **1** はふだんの登校手段で不適切。「車で」と手段を表すときは by car だが，car に my father's「父の」などがつくときは in my father's car と前置詞 in を使うことにも注意。

◀)) 放送文

　Mr. Brown loves his parents. He writes them a letter every month. He visits them on Christmas and Thanksgiving every year. He looks forward to seeing them every time.

Question: How often does Mr. Brown see his parents?

◀)) 放送文 訳

　ブラウンさんは両親を愛している。彼は両親に毎月，手紙を書く。彼は毎年クリスマスと感謝祭の日に，両親を訪ねる。彼は毎回，両親に会うのを楽しみにしている。

質問：ブラウンさんは両親にどれくらいの頻度で会いますか。

選択肢訳 **1**. 月1回。　　　　　　　**2**. 年1回。
　　　　 3. 年2回。　　　　　　　**4**. 年3回。

解説 How often ～？は頻度をたずねる質問文。第3文の on Christmas and Thanksgiving に注意。クリスマスと感謝祭の年2回なので，選択肢 **3** が正解。選択肢 **1** は手紙を書く頻度のため不適切。

Part

5

リスニング・文の内容一致選択

Part 5 リスニング・文の内容一致選択

テーマ 3 アナウンス

学習日	解答時間	得点
/	1問 10秒	/6 合格点4点

英文と質問を聞き，その答えとして最も適切なものを 1, 2, 3, 4 の中から一つ選びなさい。

No.1 TR 47

1. Sunny.
2. Cloudy.
3. Rainy.
4. Snowy.

No.2 TR 48

1. At a supermarket.
2. At a hospital.
3. At a flower shop.
4. At a concert hall.

No.3 TR 49

1. At lunchtime today.
2. At lunchtime tomorrow.
3. After school today.
4. After school tomorrow.

No.4 TR 50

1. At an airport.
2. At a train station.
3. At school.
4. At a bus stop.

No.5 TR 51

1. At 1:50 p.m.
2. At 2:00 p.m.
3. At 3:00 p.m.
4. At 4:00 p.m.

No.6 TR 52

1. On a plane.
2. In a taxi.
3. In a bus.
4. On a train.

Point! アナウンスが流れる場所をたずねる質問は頻出！

キーワードや放送文全体の流れから，アナウンスの状況を把握しよう。

解 答 と 解 説

No.1 🔊 TR 47

🔊 放送文

And now, today's weather report. It'll be sunny and hot in the morning. In the evening it'll rain hard. You should take an umbrella with you if you go out this afternoon.

Question: How will the weather be in the evening?

🔊 放送文 訳

では，今日の天気予報です。午前中は，晴れて暑いでしょう。夕方は，雨が強く降るでしょう。今日の午後，外出されるなら，かさを携行したほうがよいです。

質問：夕方の天気はどうなるでしょうか。

正解 **3**

選択肢訳 **1**. 晴れ。　**2**. くもり。　**3**. 雨。　**4**. 雪。

解説 第 1 文の today's weather report から，天気予報のアナウンスだと分かる。天気予報の問題では，時間帯ごとにいくつかの天気が読まれるので，メモを取りながら聞こう。問われているのは夕方の天気。In the evening で始まる第 3 文が答えに当たる。選択肢 **3** の Rainy.「雨の」が正解。選択肢 **1** は午前中の天気なので不可。

No.2 🔊 TR 48

🔊 放送文

Thank you for shopping at Sunshine Store. Today there is a special sale. All drinks and sandwiches are 10% off! Enjoy your shopping.

Question: Where is the man talking?

🔊 放送文 訳

サンシャイン・ストアをご利用くださり，ありがとうございます。本日は特別セールがございます。すべてのお飲み物とサンドイッチが 10%引きになります！　お買い物をお楽しみください。

質問：男性はどこで話していますか。

 正解 **1**

選択肢訳 **1**. スーパーマーケット。　　　　**2**. 病院。
　　　　　3. 生花店。　　　　　　　　　**4**. コンサートホール。

解説 アナウンスが行われている場所を選ぶ。shopping「買い物」，special sale「特別セール」，drink「飲み物」，sandwich「サンドイッチ」などのキーワードから，スーパーマーケットの店内放送であることが分かる。選択肢 **1** が正解。

Part **5**
リスニング・文の内容一致選択

No.3 ◀)) TR 49

◀)) 放送文

OK, class. That's all for today. Next week, you'll have a test on today's lesson. If you have any questions, come to see me in the teachers' room after school tomorrow. Good luck.

Question: When should students go to ask questions?

◀)) 放送文 訳

正解 **4**

ではみなさん。今日はこれで終わりです。来週は，今日の授業に関するテストがあります。もし何か質問があれば，明日の放課後，職員室にいる私のところへ来てください。ではがんばってください。

質問：生徒はいつ質問をしに行けばよいですか。

選択肢訳 **1**. 今日の昼休み。　　**2**. 明日の昼休み。
　　　　3. 今日の放課後。　　**4**. 明日の放課後。

解説 最初の OK, class. から，放送文は授業中の先生の発言だと読み取れる。生徒が質問に行けるのは，第4文より，after school tomorrow。よって選択肢 **4** が正解。

No.4 ◀)) TR 50

◀)) 放送文

May I have your attention, please? Passengers on Blue Sky Airlines Flight 507 for Narita may begin boarding now. Passengers whose seat number is 1 to 50, please come to the boarding gate.

Question: Where is the woman talking?

◀)) 放送文 訳

正解 **1**

お知らせいたします。ブルースカイ航空507便成田行きは，これより搭乗を開始いたします。座席番号が1番から50番までのお客様は，搭乗ゲートにお進みください。

質問：女性はどこで話していますか。

選択肢訳 **1**. 空港。　**2**. 駅。　**3**. 学校。　**4**. バスの停留所。

解説 アナウンスの放送文では，Where is 〜 talking? という質問文で，アナウンスがどこで行われているのか場所を選ぶ問題が出ることがある。放送文中のキーワードを拾い，何についてのアナウンスなのかつかむことが大切。ここでのキーワードは passenger「乗客」，airline「航空会社」，flight「便」，gate「ゲート」など。これらの語から，飛行機に搭乗する前に流れるアナウンスだと分かる。

◀)) 放送文

　Welcome to City Museum. We have a free tour in our museum from 2: 00 p.m. to 3: 00 p.m. Our volunteer guide will show you around. If you are interested, please come to the information desk by 1: 50 p.m.

Question: What time does the tour start?

◀)) 放送文 訳

　市立博物館へようこそ。当博物館では午後 2 時から午後 3 時まで無料のツアーを行っております。ボランティアガイドがみなさまをご案内いたします。ご興味のある方は，案内所に午後 1 時 50 分までにお越しください。

質問：ツアーは何時に始まりますか。

正解 **2**

選択肢訳 **1.** 午後 1 時 50 分。　　　　　　**2.** 午後 2 時。

　　　　3. 午後 3 時。　　　　　　　　**4.** 午後 4 時。

解説 What time で始まる質問文。第 2 文の from 2:00 p.m. to 3:00 p.m. に注意。ツアーの開始時刻を選ぶので, from に続く 2:00p.m. が答えである。よって選択肢 **2** が正解。選択肢 **1** は案内所への集合時刻で不適切。

◀)) 放送文

　Ladies and gentlemen, we are now arriving at Tennant Creek. Passengers going to Darwin, please change buses here. This bus is leaving for Mt. Isa at 4: 00. Please be back here on time. Thank you.

Question: Where is the man speaking?

◀)) 放送文 訳

　お知らせします。私たちはまもなくテナントクリークに到着します。ダーウィン方面へお越しのお客様は，こちらでバスをお乗り換えください。このバスは 4 時にマウント・アイザに向けて発車します。どうぞ遅れずにお戻りください。ありがとうございます。

質問：男性はどこで話していますか。

正解 **3**

選択肢訳 **1.** 飛行機の中。　　　　　　　**2.** タクシーの車内。

　　　　3. バスの車内。　　　　　　　**4.** 列車の中。

解説 アナウンスが行われている場所を選ぶ。キーワードの change buses「バスを乗り換える」, This bus「このバス」から，選択肢 **3** が正解。

選択肢から質問文のパターンを予想しよう！

　リスニング問題では，はじめに選択肢に目を通すことで，質問文のパターンを
ある程度予測できます。よく出るパターンと具体例をご紹介します。

●選択肢が「場所」を示す場合

1. At a park.

2. At a supermarket.

3. At a museum.

4. At a library.

Question: Where is the boy going to have luch?

　　　　　「男の子はどこで昼食を食べるつもりですか？」

　質問文は where で始まります。前置詞が at や in, on の場合は「どこで〜するか」
「どこにあるか」などが，前置詞が to の場合は目的地などが問われます。

●選択肢が「曜日・時刻」を示す場合

1. On Saturday morning.

2. On Sunday morning.

3. On Saturday afternoon.

4. On Sunday morning.

Question: When does the girl play tennis?

　　　　　「女の子はいつテニスをしますか？」

　質問文は when で始まります。「曜日」「時刻」など放送文中の〈時〉を表す語句
に注意しましょう。

●選択肢が「交通手段(〈by ＋乗り物名〉など)」を示す場合

1. By bus. 　　　　　　**2.** By train.

3. By bike. 　　　　　　**4.** On foot.

Question: How does he go to school? 「彼はどうやって学校へ行きますか？」

　質問文は how で始まり，交通手段を問われます。On a bus. や In a taxi などの
場合は交通手段ではなく，場所を問う質問文です。選択肢の前置詞にも注意しま
しょう。

第 2 章

模擬試験

※問題形式などは変わる場合があります。

1 次の (1) から (15) までの( )に入れるのに最も適切なものを 1, 2, 3, 4 の中から一つ選びなさい。

(1) A: Can you tell me the ( ) to the museum?
B: Sure. Please go straight along this street.
1 trick 　 **2** way 　 **3** group 　 **4** noon

(2) Ken's mother was sick in bed, so she couldn't do anything. He made breakfast by ( ).
1 himself 　 **2** herself 　 **3** themselves 　 **4** myself

(3) A: How about going to the library this afternoon, Meg?
B: That ( ) like a good idea, Lien.
1 sounds 　 **2** needs 　 **3** watches 　 **4** acts

(4) A: Jill, It's already 11 o'clock. You should turn ( ) the radio and go to bed soon.
B: OK, Mom.
1 up 　 **2** away 　 **3** to 　 **4** off

(5) The bike was too ( ) for Becky to move. Her father helped her.
1 angry 　 **2** heavy 　 **3** fast 　 **4** native

(6) When Brian was driving his car, it began to snow. So he drove to the station ( ).
1 usually 　 **2** carefully 　 **3** finally 　 **4** aloud

(7) Yesterday, Joe broke his leg in a soccer game. He is not ( ) to play sports at least for two months.
1 sudden 　 **2** able 　 **3** enough 　 **4** important

124

(8) **A :** Do you have any (　　　) questions about your homework?

　　 B : Yes, sir. How soon should we finish it?

　　 1 sick 　　 **2** another 　　 **3** cloudy 　　 **4** other

(9) **A :** Will you (　　　) a little louder, Mary?

　　 B : I'm sorry, Kazuhiro. I have a cold.

　　 1 shine 　　 **2** suit 　　 **3** speak 　　 **4** slice

(10) The tennis tournament has (　　　) in London. I'm looking forward to watching it on TV.

　　 1 hurried 　　 **2** begun 　　 **3** fallen 　　 **4** contacted

(11) **A .** You can finish your homework by seven o'clock, (　　　) you, Sara?

　　 B : I hope so, Mom.

　　 1 can't 　　 **2** aren't 　　 **3** don't 　　 **4** won't

(12) I like summer (　　　) than winter. I go to the beach to swim with my friends.

　　 1 much 　　 **2** good 　　 **3** best 　　 **4** better

(13) **A :** Please come to the library, Frank. I'll be there between two (　　　) three.

　　 B : OK, I'll meet you there.

　　 1 to 　　 **2** for 　　 **3** and 　　 **4** or

(14) I am (　　　) to hear that my best friend Judy won first prize in the piano concert.

　　 1 pleased 　　 **2** tired 　　 **3** known 　　 **4** scared

(15) **A :** Look at that (　　　) cat.

　　 B : Wow, it's so big!

　　 1 sleeps 　　 **2** slept 　　 **3** sleeping 　　 **4** sleep

次の (16) から (20) までの会話について，（　　）に入れるのに最も
適切なものを 1，2，3，4 の中から一つ選びなさい。

. . . .

(16) **Man**：Excuse me, where is the public telephone?
Woman：(　　　)
Man：Oh, thanks a lot.
1 It's very helpful for you.   **2** Certainly. Can I see it?
3 You can use it.   **4** It's on the first floor.

(17) **Man**：(　　　)
Woman：Oh, that's very kind of you, but I can't accept such an
expensive present.
1 Please use this dictionary.   **2** I will take you to the station.
3 This is for you.   **4** You are very smart, aren't you?

(18) **Boy**：Are you going to give up your dream to be a singer, Miki?
Girl：(　　　) I will continue my lessons.
1 Of course not.   **2** Yes, I am.
3 No, thanks.   **4** Sure.

(19) **Mother**：Will you please turn down the TV a little, Mike?
Son：(　　　)
Mother：That's fine, thanks.
1 That's a good idea.   **2** Is this all right now?
3 That would be great.   **4** I think you are wrong.

(20) **Woman**：Thank you very much for everything.
Man：You are welcome. Our family was very happy that you came.
Woman：(　　　)
1 I will buy it.   **2** I will wait until tomorrow.
3 I really enjoyed it, too.   **4** I'm going to enjoy it.

3 [A]　次の掲示の内容に関して，(21) と (22) の質問に対する答えとして最も適切なものを 1，2，3，4 の中から一つ選びなさい。

Member Notice

Date: November 24

・There will be a basketball tournament for kids on Sunday, December 8. The gym will be closed from 9:00 a.m. to 12:00 a.m.

・Please take a shower before entering the pool area.
・No food or drink at poolside.* You can buy and eat snacks in the rest area across from the locker rooms.

・Free yoga* lessons for beginners are held on the dance floor from 10:00 a.m. to 11:00 a.m. on Saturdays. Yoga is very good for your health. Come and join us this weekend!

Thank you for visiting Brooklyn Fitness Club.
Front Desk: 235-5859
Office Hours: 9:00 a.m. to 8:00 p.m.

---

*poolside：プールサイド
*yoga：ヨガ

(21) What will children do on December 8?
  1　Play basketball.
  2　Swim in the pool.
  3　Have a dance party.
  4　Clean the gym.

(22) When can the club members take yoga lessons?
  1　From 9:00 a.m. to 11:00 a.m. on Sundays.
  2　From 9:00 a.m. to 12:00 a.m. on Sundays.
  3　From 10:00 a.m. to 11:00 a.m. on Saturdays.
  4　From 10:00 a.m. to 8:00 p.m. on Saturdays.

3 [B]　次のＥメールの内容に関して，(23) から (25) までの質問に対する答えとして最も適切なもの，または文を完成させるのに最も適切なものを 1，2，3，4 の中から一つ選びなさい。

・・

From: Ellen Mills
To: Homeless Pet Rescue
Date: May 20, 19:42
Subject: I want to take care of a puppy!

- -

Dear Homeless Pet Rescue,
I'm a 15-year-old junior high school student in Exeter. I like your website about homeless pets. I'm really interested in your volunteer program because I like to take care of animals very much. I had a bulldog at home for ten years before, so I know a lot about dogs. I hope I can do something for dogs which have lost their homes. When I told my parents about this idea, they said that it's OK. What do I have to do to become a volunteer? I hope to hear from you soon.
Sincerely,
Ellen Mills

From: Homeless Pet Rescue
To: Ellen Mills
Date: May 21, 10:03
Subject: I'm Karen, Homeless Pet Rescue.

- -

Dear Ellen,
Thank you for your e-mail. We're happy you like our website. Through this program, we've saved more than 400 homeless animals. I've worked as a member of the NPO for twenty years.
I'll answer your question. You have two things to do to get a puppy. First, you should register* on our website. Please tell us your name, address, phone number and so on. Second, we'd like you to come to an orientation on Sunday. It's necessary for you to come with your parents because you aren't old enough. After that, you'll become a volunteer and be able to care for a puppy. If you have any more questions, please contact me.
See you soon,
Karen White (Homeless Pet Rescue)

*register：登録する

(23) Why is Ellen interested in the program?

1 She likes the website of a pet shop.

2 She loves to take care of animals.

3 She has had a dog for a long time.

4 She is a member of Homeless Pet Rescue.

(24) How long has Ms. White worked as a member of the volunteer group?

1 For ten years.

2 For fifteen years.

3 For twenty years.

4 Since last May.

(25) To get a puppy, Ellen will have to

1 learn a lot about dogs.

2 tell her parents about her idea.

3 answer some questions on the phone.

4 go to an orientation with her parents.

● ●

Doctor Fish

Garra rufa is a species* of fish. These small fish live in the rivers of western Asia. They usually eat plants growing on rocks there. This is a very interesting behavior* that has made them famous all over the world today.

Garra rufa are called "doctor fish." Why? They have lived in the hot springs in Kangal, Turkey for a long time. A long time ago, there were some rivers that met the hot springs and the fish came in and out from them. Since the 1950s, people have kept the fish only in the hot springs. The water temperature is so high there that plants can't grow. The fish need food. So they eat the old skin of people who come to take a bath at the springs. Many visitors like it because it can help skin grow. Thanks to the hungry fish, the hot springs have become famous. These days, a lot of people stay there to treat skin problems.

Fish spa services are becoming popular. Fish spa shops have already opened in Asia, America and Europe. In a fish spa shop, there are some tanks* filled with clean, warm water and thousands of doctor fish. When a customer puts their feet into a tank, many fish gather around the feet and take off the old skin. It usually takes about thirty minutes for the fish to finish their job.

Today, doctor fish are famous around the world. There are some aquariums which show doctor fish to visitors, too. Doctor fish are very busy.

*species：種
*behavior：習性
*tank：水槽

(26) The fish called "doctor fish"
  1 usually eat plants in rivers.
  2 were first found by a doctor.
  3 sometimes attack sick people.
  4 are popular pets around the world.

(27) What happened in Kangal in the 1950s?
  1 People released a lot of fish into some rivers.
  2 People began to raise the fish in the hot springs.
  3 People built a new aquarium there.
  4 People didn't have enough food.

(28) Why do many people visit the hot springs in Kangal?
  1 To eat delicious fish.
  2 To see a good doctor.
  3 To treat their skin.
  4 To spend their vacation.

(29) Where are fish spa shops open in the world?
  1 In the western Asia.
  2 In Turkey.
  3 In Asia, America and Europe.
  4 In Australia.

(30) What is this story about?
  1 How to take care of fish.
  2 A trip to Kangal, Turkey.
  3 Fish working for skin care.
  4 Busy doctors in hospitals.

筆記問題

4

● あなたは，外国人の友達(James)から以下のEメールを受け取りました。Eメールを読み，それに対する返信メールを，[   ]に英文で書きなさい。

● あなたが書く返信メールの中で，友達(James)からの2つの質問(下線部)に対応する内容を，あなた自身で自由に考えて答えなさい。

● あなたが書く返信メールの中で[   ]に書く英文の語数の目安は，15語〜25語です。

● 解答欄の外に書かれたものは採点されません。

● 解答が友達(James)のEメールに対応していないと判断された場合は，0点と採点されることがあります。友達(James)のEメールの内容をよく読んでから答えてください。

● [   ]の下のBest wishes, の後にあなたの名前を書く必要はありません。

Hello,

Thank you for your e-mail.
I heard that you went to a library in your town to study. I would also like to go there sometime. How long did you stay there? Also, how long did it take for you to go there?

Your friend,
James

Hi, James!
Thank you for your reply.

解答欄に記入しなさい。

Best wishes,

5

● あなたは，外国人の友達から以下のQUESTIONをされました。

● QUESTIONについて，あなたの考えとその理由を2つ英文で書きなさい。

● 語数の目安は25語〜35語です。

● 解答がQUESTIONに対応していないと判断された場合は，0点と採点されることがあります。QUESTIONをよく読んでから答えてください。

QUESTION
What is your favorite sport?

132

学習日	解答時間 約 **27** 分	正解数 問 30問中

※問題形式などは変わる場合があります。

① このテストは，第1部から第3部まであります。
　★英文は第1部では一度だけ，第2部と第3部では二度，放送されます。
　第1部：イラストを参考にしながら対話と応答を聞き，最も適切な応答を1，
　　　　 2，3の中から一つ選びなさい。
　第2部：対話と質問を聞き，その答えとして最も適切なものを1，2，3，4
　　　　 の中から一つ選びなさい。
　第3部：英文と質問を聞き，その答えとして最も適切なものを1，2，3，4
　　　　 の中から一つ選びなさい。
② No.30のあと，10秒すると試験終了の合図がありますので，筆記用具を置
　いてください。

第1部

🔊 TR 53 〜 63

No.1 🔊 TR 54

No.2 🔊 TR 55

No.3 🔊 TR 56

No.4 🔊 TR 57

No.11 ◀) TR 65
1 Her sister.
2 Her aunt.
3 Her brother.
4 Her friends.

No.12 ◀) TR 66
1 In a taxi.
2 On a train.
3 On a plane.
4 In a bus.

No.13 ◀) TR 67
1 Twenty dollars.
2 Thirty dollars.
3 Forty dollars.
4 Fifty dollars.

No.14 ◀) TR 68
1 Visit a department store.
2 Get a present.
3 Go shopping with her mother.
4 Have a birthday party.

No.15 ◀) TR 69
1 In June.
2 In July.
3 In August.
4 In September.

No.16 ◀) TR 70
1 She had a test.
2 She cannot study.
3 She doesn't like the music.
4 She broke her headset.

No.17 ◀) TR 71
1 Her own.
2 Her father's.
3 Her mother's.
4 Bob's.

    1 A watch.   **2** A bag.

    3 A textbook.   **4** A desk.

    1 He feels sick.   **2** He needs a blanket.

    3 He is very thirsty.   **4** He wants to eat something.

    1 Rainy.   **2** Cloudy.

    3 Snowy.   **4** Sunny.

第3部   ◀)) TR 75 〜 85

    1 By bike.   **2** On foot.

    3 In his mother's car.   **4** By train.

    1 A town festival.   **2** Local food.

    3 Her favorite songs.   **4** Many shops on the streets.

    1 Beth.   **2** Sam.

    3 Jake.   **4** Sally.

    1 In a library.   **2** In a department store.

    3 In a restaurant.   **4** In a movie theater.

No.25 TR 80

1 Have a meal.
3 Study hard in class.

2 Go to bed early.
4 Have a good sleep.

No.26 TR 81

1 Study abroad.
3 Save some money.

2 Make her lunch.
4 Go to a foreign country.

No.27 TR 82

1 To read a newspaper.
3 To work as a volunteer.

2 To borrow books.
4 To paint a picture.

No.28 TR 83

1 One.
3 Five.

2 Three.
4 Eight.

No.29 TR 84

1 White.
3 Brown.

2 Yellow.
4 Red.

No.30 TR 85

1 Before dinner last night.
3 This morning.

2 After dinner last night.
4 Tonight.

筆　記

1

問 題	(1)	(2)	(3)	(4)	(5)	(6)	(7)	(8)
解 答	2	1	1	4	2	2	2	4

問 題	(9)	(10)	(11)	(12)	(13)	(14)	(15)	小計
解 答	3	2	1	4	3	1	3	/15

2

問 題	(16)	(17)	(18)	(19)	(20)	小計
解 答	4	3	1	2	3	/5

3　　　[A]　　　　　[B]　　　　　　　[C]

問 題	(21)	(22)	(23)	(24)	(25)	(26)	(27)	(28)	(29)	(30)	小計
解 答	1	3	2	3	4	1	2	3	3	3	/10

4 解 答　147 ページ参照。
5 解 答　147 ページ参照。

リスニング

第1部

問 題	1	2	3	4	5	6	7	8	9	10	小計
解 答	2	3	2	1	2	3	1	2	3	1	/10

第2部

問 題	11	12	13	14	15	16	17	18	19	20	小計
解 答	2	1	3	4	3	2	1	3	1	2	/10

第3部

問 題	21	22	23	24	25	26	27	28	29	30	小計
解 答	3	1	4	2	1	4	3	3	1	3	/10

合計
/62

1 （問題編 p.124 〜 125）

（1） 正解 2

訳 A：その博物館への道を教えてくれますか。

　B：もちろん。この通りに沿ってまっすぐ進んでください。

解説 B が「通りをまっすぐ」と教えているので，道を聞いていることが分かる。along「〜に沿って」。**1.** trick「こつ」　**2.** way「道, 方法」　**3.** group「集団」　**4.** noon「正午」。

（2） 正解 1

訳 ケンの母親は病気で寝ていたので, 何もできなかった。ケンは**自分**で朝食を作った。

解説 「自分で朝食を作った」という場合の，「自分で」を表す by *one*self の *one* がこの場合，何になるかを考える。

（3） 正解 1

訳 A：午後，図書館に行かない，メグ？

　B：いい考えだ**と思う**わ，リアン。

解説 図書館に行くことを提案されて，同意する表現を考える。How about *do*ing?「〜しませんか」。**1.** sound like 〜「〜のようだ」　**2.** need「必要とする」　**3.** watch「見る」　**4.** act「行動する」。

（4） 正解 4

訳 A：ジル，もう 11 時よ。ラジオ**を消して**すぐ寝なさい。

　B：分かったわ，お母さん。

解説 夜遅いので, ラジオをどうするように言っているのか考える。**1.** turn up 〜「(音)を大きくする」　**3.** turn to 〜「〜に頼る」　**4.** turn off 〜「(テレビなど)を消す」。

（5） 正解 2

訳 その自転車はベッキーには**重すぎて**動かせなかった。父親が彼女を助けた。

解説 too 〜 to ... が「あまりに〜なので…できない」という意味なので，too の次の空所にはベッキーにとっては動かすのが困難になる理由が入る。

1. angry「怒った」　**2.** heavy「重い」　**3.** fast「速い」　**4.** native「生まれつきの」。

（6） 正解 2

訳 ブライアンが車を運転していたとき，雪が降り始めた。そこで彼は駅まで**注意して**運転をした。

解説 雪が降り始めたとき，どのように運転するのかを考える。**1.** usually「ふだん」**2.** carefully「注意して」　**3.** finally「ついに」　**4.** aloud「声を出して」。

(7) 正解 2

訳 昨日，ジョーはサッカーの試合で脚を骨折した。彼は少なくとも2か月はスポーツをすることができない。

解説 be ( ) to で，文意に合う熟語を考える。**1.** sudden「**突然の**」 **2.** able「**可能な**」, be able to *do*「**〜することができる**」 **3.** enough「**十分な**」 **4.** important「**重要な**」。

(8) 正解 4

訳 **A**：宿題について，何か**ほかに**質問はありますか。

B：はい，先生。いつまでに終わらせればよいですか。

解説 先生が生徒たちに，「何かほかに質問はありますか」と聞いている。**1.** sick「**病気の**」 **2.** another「**もう一つの**」 **3.** cloudy「**くもった**」 **4.** other「**ほかの**」。

(9) 正解 3

訳 **A**：もう少し大きな声で**話して**くれますか，メアリー。

B：ごめんなさい，カズヒロ。かぜをひいているの。

解説 かぜをひいて小さくなってしまっているものを考える。

1. shine「**輝く**」 **2.** suit「**適する**」 **3.** speak「**話す**」 **4.** slice「**薄く切る**」。

(10) 正解 2

訳 そのテニストーナメントはロンドンで**始まった**。私はそれをテレビで見るのを楽しみにしている。

解説 テニスのトーナメントがロンドンでどうしたのか，適切な動詞を選ぶ。look forward to *do*ing「**〜するのを楽しみに待つ**」。選択肢はすべて過去分詞。

1. hurry「**急ぐ**」 **2.** begin「**始まる**」 **3.** fall「**落ちる**」 **4.** contact「**接触する**」。

(11) 正解 1

訳 **A**：7時までに宿題を終わらせられる**わよね**，サラ。

B：そう願ってるわ，お母さん。

解説 付加疑問文の問題。「〜ですよね？」を作るのに，何が入るのかを考える。文の前半で can を使用しているので can't を選ぶ。by「**〜までに**」。

(12) 正解 4

訳 私は冬よりも夏の**ほうが**好きです。私は友人たちと泳ぐために海辺に行きます。

解説 比較級の問題。than「**〜よりも**」が続いているので，比較級を選ぶことが分かる。

(13) 正解 3

訳 **A**：図書館に来てね，フランク。2時から3時の間そこにいるわ。

B：分かった，そこで会おう。

解説 「A と B の間」を表す熟語は between A and B である。

(14) 正解 1

訳 ぼくは親友のジュディがピアノコンサートで 1 位になったと聞いて**うれしい**。

解説 親友が 1 位になったと聞き，どう思ったか。

1. be pleased to do「**～してうれしい**」 **2.** be tired from doing「**～に疲れた**」 **3.** be known to ～「**～に知られている**」 **4.** be scared to do「**～するのが怖い**」。

(15) 正解 3

訳 **A**：あの眠っている猫を見て。

B：うわあ，すごく大きい！

解説 どんな猫なのか形容するのに，適切な形を選ぶ。**3.** sleeping「**眠っている**」。

2 （問題編 p.126）

(16) 正解 4

訳 **男性**：すみません，公衆電話はどこにありますか。

女性：1 階にありますよ。

男性：ああ，どうもありがとう。

解説 男性は場所を聞き，2 番目の発言でお礼を述べているので，女性が場所を教えたと考える。**1.**「**それはとてもあなたの役に立ちます**」 **2.**「**承知しました。拝見してよいですか**」 **3.**「**それを使えますよ**」。

(17) 正解 3

訳 **男性**：これはあなたへのものです。

女性：まあ，せっかくのご厚意ですが，そんな高価なプレゼントは受け取れません。

解説 女性がお礼を述べたあと，「そんな高価なプレゼントは受け取れない」と言っていることから，プレゼントを贈るときのセリフを選ぶ。**1.**「**この辞書を使ってください**」 **2.**「**駅まで送っていくよ**」 **4.**「**きみはとても優秀だよね**」。

(18) 正解 1

訳 **男の子**：歌手になるっていうきみの夢はあきらめるの，ミキ？

女の子：もちろん違うわよ。レッスンを続けるわ。

解説 「夢をあきらめるのか」と聞かれ，「レッスンを続ける」と答えているので，「あきらめない」と分かる。**2.**「**はい，そうです**」 **3.**「**いいえ，結構です**」 **4.**「**もちろん**」。

(19) 正解 **2**

訳 母：テレビの音量を少し下げてくれない，マイク？
　息子：じゃあこれでいい？
　母：いいわよ，ありがとう。

解説 母が最初にお願いし，次にお礼を言っているので，息子がそれに対応したと分かる。**1.**「それはいい考えだ」　**3.**「それはすばらしい」　**4.**「間違えていると思うよ」。

(20) 正解 **3**

訳 女性：いろいろお世話になり，ありがとうございました。
　男性：どういたしまして。あなたが来てくれて私たち家族はとても幸せでした。
　女性：私も本当に楽しかったです。

解説 「あなたが来てくれて幸せでした」に対する女性の回答にふさわしいものを考える。**1.**「それを買います」　**2.**「明日まで待ちます」　**4.**「楽しむつもりです」。

3A （問題編 p.127）

訳

会員のみなさまへのお知らせ

日付：11 月 24 日

・12 月 8 日（日曜日）に，子どものバスケットボール大会があります。体育館は午前 9 時から午前 12 時まで閉館します。

・プールへ入る前にシャワーを浴びてください。
・プールサイドでは飲食禁止です。ロッカー室の向かい側にある休憩所では，軽食を買って食べることができます。

・初心者を対象とする無料のヨガ教室が，ダンスフロアで毎週土曜日の午前 10 時から午前 11 時まで行われています。ヨガは健康にとてもいいです。今週末はぜひご参加ください！

ブルックリン・フィットネスクラブをご利用いただき，ありがとうございます。
受付：235-5859　　　営業時間：午前 9 時〜午後 8 時

---

(21) 正解 1

訳 子どもたちは 12 月 8 日に何をする予定ですか。

選択肢訳 1 バスケットボールをする。　2 プールで泳ぐ。
　　　　 3 ダンスパーティーを開く。　4 体育館を掃除する。

解説 子どもたちの 12 月 8 日の予定を答える。質問文の on December 8 から，最初のお知らせの第 1 文に注目。children は本文の kids の言い換え。よって選択肢 1 の「バスケットボールをする」が正解。

(22) 正解 3

訳 クラブの会員は，いつヨガのレッスンを受けることができますか。

選択肢訳 1 毎週日曜日の午前 9 時から午前 11 時まで。
　　　　 2 毎週日曜日の午前 9 時から午前 12 時まで。
　　　　 3 毎週土曜日の午前 10 時から午前 11 時まで。
　　　　 4 毎週土曜日の午前 10 時から午後 8 時まで。

解説 ヨガのレッスンの時間を答える。最後のお知らせの第 1 文から，選択肢 3 が正解と分かる。選択肢 2 は 12 月 8 日に体育館が使えなくなる時間。

3B （問題編 p.128 ～ 129）

訳

送信者：エレン・ミルズ
受信者：ホームレス・ペット・レスキュー
日付：5 月 20 日　19:42
件名：私は子犬を世話したいです！

拝啓　ホームレス・ペット・レスキュー様
私はエクセターの 15 歳の中学生です。私はみなさんの捨てられたペットについてのウェブサイトが好きです。私はみなさんのボランティアのプログラムにとても興味があります。なぜなら私は動物の世話をするのが大好きだからです。私は以前 10 年間家でブルドッグを飼っていたので，犬のことをよく知っています。私は家を失った犬のために何かできたらいいなと思っています。両親にこの考えを話したら，賛成してくれました。私はボランティアになるために，何をする必要がありますか。すぐにお返事をください。
敬具
エレン・ミルズ

(23) 正解 2

訳 エレンはなぜこのプログラムに興味を持っていますか。

選択肢訳 1 彼女はペットショップのウェブサイトが気に入っているから。
2 彼女は動物の世話をするのが大好きだから。
3 彼女は長い間，犬を飼っているから。
4 彼女はホームレス・ペット・レスキューの会員だから。

解説 be interested in は，最初のEメールの第3文にある。文の後半 because 以下が理由を表すので選択肢 **2** が正解。love は like 〜 very much の言い換え。

(24) 正解 3

訳 ホワイトさんはボランティアグループの会員としてどのくらい長く活動していますか。

選択肢訳 1 10年間。　　2 15年間。
3 20年間。　　4 昨年の5月から。

解説 How long 〜? は期間をたずねる表現。2通目のEメール（カレンの返信）の第1段落最終文を参照。カレン（＝ホワイトさん）の活動期間は for twenty years なので，選択肢 **3** が正解。

(25)　正解　4

訳　子犬をもらうために，エレンは……必要があるでしょう。

選択肢訳　1　犬についてたくさんのことを学ぶ
　　　　　2　両親に自分の考えを話す
　　　　　3　電話でいくつかの質問に答える
　　　　　4　両親とオリエンテーションに行く

解説　カレンの返信の第2段落に注目。ウェブサイトでの登録と，オリエンテーションに両親と出席することの2つが必要とあるので，選択肢4が正解。

3C　(問題編 p.130 〜 131)

訳

ドクターフィッシュ

　ガラ・ルファとは魚の種類である。この小さな魚たちは西アジアの河川に生息する。それらは普通そこの岩で育った植物を食べる。これこそがガラ・ルファを今日，世界中で有名にした，とても興味深い習性である。

　ガラ・ルファは「ドクターフィッシュ」と呼ばれる。なぜだろうか。それらは長い間トルコのカンガルの温泉に生息している。昔は，温泉に流れ込む川があり，その川から魚が出入りしていた。1950年代から，人々は魚を温泉の中だけで飼うようになった。そこは水温がとても高いので植物は育たない。魚にはえさが必要だ。だから魚は温泉に入りに来る人々の古い皮膚を食べる。これによって皮膚の成長が促進されるので，多くの訪問者はそれを気に入っている。おなかをすかせた魚のおかげで，温泉は有名になった。最近では，多くの人が肌の疾患を治療するためにそこに滞在する。

　フィッシュスパのサービスは人気を集めつつある。フィッシュスパの店はすでにアジア，アメリカ，そしてヨーロッパで営業している。フィッシュスパの店には，清潔な温水と何千匹ものドクターフィッシュで満たされた水槽がいくつかある。客が両足を水槽に入れると，たくさんの魚が足の周りに集まり，古い皮膚をはがしてくれる。たいてい魚が仕事を終えるのに30分ほどかかる。

　今日，ドクターフィッシュは世界中で有名だ。来館者にドクターフィッシュを見せる水族館もいくつかある。ドクターフィッシュはとても忙しいのだ。

(26) 正解 1

訳「ドクターフィッシュ」と呼ばれる魚は, ……

選択肢訳 1 たいてい川の中の植物を食べている。
　　　　　 2 最初, ある医者によって発見された。
　　　　　 3 病気の人を攻撃することがある。
　　　　　 4 世界中で人気のあるペットである。

解説 第2段落第1文から,「ガラ・ルファ＝ドクターフィッシュ」と分かる。第1段落第3文に注目。選択肢1が正解。

(27) 正解 2

訳 1950年代にカンガルで何が起こりましたか。

選択肢訳 1 人々はたくさんの魚を川に放流した。
　　　　　 2 人々は温泉で魚を飼い始めた。
　　　　　 3 人々はそこに新しい水族館を建てた。
　　　　　 4 人々には十分な食べ物がなかった。

解説 質問文の in the 1950s を本文中に探すと, 第2段落第5文にある。1950年代から, 川と温泉を行ったり来たりしていた魚を温泉で飼うようになった, とあるので, 選択肢2が正解。raise「〜を育てる」は本文中の keep (kept の原形)の言い換え。

(28) 正解 3

訳 なぜ多くの人々がカンガルの温泉を訪れるのですか。

選択肢訳 1 おいしい魚を食べるため。　　2 よい医者の診察を受けるため。
　　　　　 3 肌を治療するため。　　　　　4 休暇を過ごすため。

解説 第2段落最終文に注目。質問文の visit the hot springs in Kangal は, 本文中の stay there の具体的な言い換え。訪問の目的を表すのは文末の to treat skin problems なので, 選択肢3が正解。選択肢1, 2, 4のような説明はない。

(29) 正解 3

訳 フィッシュスパの店は世界のどこで営業していますか。

選択肢訳 1 西アジア。　　　　　　　　　　2 トルコ。
　　　　　 3 アジア, アメリカとヨーロッパ。　4 オーストラリア。

解説 第3段落第2文を参照。選択肢3が正解。選択肢1はガラ・ルファの生息地。選択肢2は, ガラ・ルファが「ドクターフィッシュ」と呼ばれるきっかけとなった国。

(30) 正解 **3**

訳 この話は何に関するものですか。

選択肢訳 **1** 魚の飼い方。 　　　　　 **2** トルコのカンガルへの旅行。

　　　　　 3 肌の手入れをしてくれる魚。 **4** 病院の忙しい医者。

解説 タイトルにつられて，選択肢 **4** を選ばないように注意。英文全体から考える。第 1 段落はガラ・ルファの紹介(話題の導入)，第 2 段落は「ドクターフィッシュ」と呼ばれるようになったきっかけ，第 3 段落はドクターフィッシュを使ったフィッシュスパの人気，最終段落はまとめ，という構成。一貫して，ガラ・ルファという魚について説明しており，タイトルはその呼び名で，利用方法に由来している。よって選択肢 **3** が正解。

4 (問題編 p.132)

訳

やあ，
メールをありがとう。
きみは勉強するために，街の図書館に行ったんだってね。ぼくも時々図書館に行くよ。どのくらい図書館にいたの？　あと，図書館に行くのにどのくらい時間がかかったの？
きみの友人，
ジェームズ

解答例

　　I stayed there for about three hours. And it took me about thirty minutes from my house to walk to the library. (22 語)

解答例訳

　　そこには 3 時間ほどいたよ。そして，自宅から図書館まで歩いてだいたい 30 分かかったよ。
《補足》
質問の時制(現在形・過去形・現在完了など)に注意！　当然時制を合わせて解答します。

5 (問題編 p.132)

QUESTION 訳

　　あなたのお気に入りのスポーツは何ですか？

解答例

　　My favorite sport is tennis. I like tennis the best because I can play it all the year. Also, I can enjoy it with my family and my friends. (29 語)

解答例訳

　　私のお気に入りのスポーツはテニスです。私がテニスを一番好きなのは，一年中プレーすることができるからです。また，私はそれを家族や友人と楽しむことができます。

第1部　(問題編 p.133 〜 134)

No.1　正解　2　◀))) TR 54

◀))) 放送文

A: Let's do our homework together tomorrow.
B: OK, Annie.
A: When can we meet?

選択肢

1. I'll see you again.
2. After lunch.
3. I'm from Canada.

◀))) 放送文 訳

A: 明日いっしょに宿題をしましょうよ。
B: いいよ, アニー。
A: いつ会えるかしら？

選択肢訳

1. また会おう。
2. 昼食のあと。
3. ぼくはカナダ出身だよ。

解説　最後の発言 When 〜?「いつ〜」が手がかり。時をたずねているので, 選択肢 **2** が正解。After lunch. は簡略な答え方で, 略さずに言うと We can meet after lunch tomorrow.「明日の昼食のあと会えるよ」となる。選択肢 **1** は別れのあいさつ。選択肢 **3** は出身地を答えている。

No.2　正解　3　◀))) TR 55

◀))) 放送文

A: Hello, Lisa. This is John. Thank you for inviting me to your party.
B: It's my pleasure.
A: Can I bring something?

選択肢

1. I'll bake you a cake.
2. Yes, I can.
3. Just bring yourself.

◀))) 放送文 訳

A: もしもし, リサ。ジョンだよ。パーティーへ招待してくれてありがとう。
B: どういたしまして。
A: 何か持って行こうか？

選択肢訳

1. 私はあなたにケーキを焼くわ。
2. うん, できるわ。
3. 手ぶらで来てね。

解説　電話での会話。Can I bring something? は, パーティーへ招待されたときの応答で, この Can I 〜?「〜しましょうか」は申し出を表す。Just bring yourself. は「ただあなた自身を持ってきてね」→「手ぶらで来てね」という会話表現。選択肢 **3** が正解。選択肢 **1**, **2** は最後の文の応答になっていないので不適切。

No.3 正解 2

🔊 放送文

A: May I have your name, sir?

B: I'm Saito Makoto.

A: Yes, certainly. Will you stay for two nights?

選択肢

1. Sure, I'll arrive soon.
2. No, I'd like to stay for three nights.
3. Sorry, I lost my room key.

🔊 放送文 訳

A: お名前を伺ってもよろしいですか。

B: サイトウ・マコトです。

A: はい，かしこまりました。2晩のご宿泊予定でよろしいですか。

選択肢訳

1. ええ，私はまもなく到着します。
2. いいえ，3泊したいです。
3. すみません，部屋のかぎをなくしました。

解説 ホテルでのチェックインの場面。係員の最後の発言 Will you ～? 「～するつもりですか」は，客の宿泊予定を確認している。選択肢1は到着について聞かれたときの答えのため，不適切。チェックイン時の会話なので，選択肢3も不適切。three nights と宿泊数を答えている選択肢2が正解。

No.4 正解 1

🔊 放送文

A: What time is your flight?

B: At 2: 30. I have to go now.

A: I'll miss you, Aya.

選択肢

1. I want to see you again.
2. It's nice to meet you.
3. Please help yourself.

🔊 放送文 訳

A: きみの便は何時？

B: 2時30分よ。もう行かなきゃ。

A: きみがいなくてさみしくなるよ，アヤ。

選択肢訳

1. またあなたに会いたいわ。
2. はじめまして。
3. どうぞご自分で取って食べてください。

解説 空港での別れの場面。最後に男性は I'll miss you.「きみがいなくてさみしくなる」と言っているので，これに答える選択肢1が正解。選択肢2は初対面のあいさつ，選択肢3は飲食物を勧める会話表現のため，不適切。

No.5 　正解　2
TR 58

🔊 放送文

A: What are you doing, Ted?
B: Mom, I want to play one more game.
A: No! Go to bed now.

選択肢
1. Good job.
2. OK, I will.
3. I'll get up now.

🔊 放送文 訳

A：何をしているの，テッド？
B：お母さん，もう1回ゲームをしたいんだ。
A：だめよ！　もう寝なさい。

選択肢訳
1. よくできたね。
2. 分かった，そうするよ。
3. ぼくはもう起きるよ。

解説 親子の会話。もう1回ゲームをしたいと言う男の子に対し，母親が寝るように言っている。男の子の返事として，同意を示す選択肢2が正解。選択肢1は人がしたことをほめる会話表現なので不適切。就寝前に「もう寝なさい」と言われている状況から，選択肢3の返答も不適切。

No.6 　正解　3
TR 59

🔊 放送文

A: What are you going to do tomorrow?
B: I have a tennis match, Ms. Barton.
A: Good luck! I hope you'll win.

選択肢
1. Happy birthday.
2. Congratulations!
3. Thanks, I'll do my best.

🔊 放送文 訳

A：明日何をする予定なの？
B：ぼくはテニスの試合があります，バートン先生。
A：がんばって！　勝てるといいわね。

選択肢訳
1. 誕生日おめでとうございます。
2. おめでとうございます！
3. ありがとうございます，がんばります。

解説 先生の励ましに対する返事を選ぶ。do one's best は「がんばる，全力を尽くす」という意味の熟語なので，I'll do my best.「がんばります」は Good luck!「がんばって！」に対する応答として適切。選択肢3が正解。選択肢1，2は相手を祝福する表現なので，会話の流れに合わない。

No.7 正解 1 ◀)) TR 60

◀)) 放送文

A: Did you watch the soccer game last night, Ben?

B: No, I didn't.

A: Why not?

選択肢

1. I studied for a test.
2. That'll be fine.
3. It was very exciting.

◀)) 放送文 訳

A: 昨夜サッカーの試合を見た，ベン？

B: ううん，見なかったよ。

A: どうして見なかったの？

選択肢訳

1. テストのために勉強してたんだ。
2. それでいいよ。
3. それにはとてもわくわくした。

解説 最後の発言 Why not? は，ここでは否定文に対する理由のたずね方。ベンがサッカーの試合を見なかった理由をたずねている。テスト勉強は理由として適切なので，選択肢 **1** が正解。選択肢 **3** の it は the soccer game を受け，ベンは試合を見たことになってしまい，最初のやりとりに合わないため不適切。

No.8 正解 2 ◀)) TR 61

◀)) 放送文

A: You look busy, Dan.

B: Yes, I need help.

A: Would you like me to copy this report?

選択肢

1. No, you can keep it.
2. Yes, I need five copies.
3. Right, I don't like it.

◀)) 放送文 訳

A: 忙しそうね，ダン。

B: うん，手伝ってほしいよ。

A: この報告書をコピーしましょうか。

選択肢訳

1. ううん，それはきみにあげるよ。
2. お願いするよ，５部必要なんだ。
3. ああ，それは好きじゃないよ。

解説 オフィスでの会話。女性は Would you like me to ～ ?「あなたは私に～してほしいですか（→私が～しましょうか）」と手伝いを申し出ている。申し出を受ける発言の選択肢 **2** が正解。動詞 like につられて，選択肢 **3** を選ばないように注意。コピー作業をするという手伝いの申し出に対して，選択肢 **1** の「あげるよ」は返答になっていないので，不適切。

📢 TR 62

🔊 放送文	🔊 放送文 訳
A: Are you OK, Grandma?	**A**：大丈夫，おばあちゃん？
B: I'm getting tired.	**B**：疲れてきたわ。
A: Why don't you take a rest?	**A**：休憩したらどう？
選択肢	選択肢訳
1. Because I went to bed late.	**1.** 私は遅く寝たからね。
2. I can run faster.	**2.** 私はもっと速く走れるわ。
3. That would be nice.	**3.** それがいいわね。

解説 最後の発言 Why don't you ～? がポイント。これは理由をたずねる文ではなく，「～してはどうですか」と相手に対する提案を表す。よって，選択肢 **3** が正解。疲れていることの理由と間違えて，選択肢 **1** を選ばないよう注意。選択肢 **2** は「疲れてきた」という女性の最初の発言と合わないので不適切。

📢 TR 63

🔊 放送文	🔊 放送文 訳
A: Are you lost?	**A**：道に迷ったのですか？
B: Yes. I'm looking for City Museum.	**B**：ええ。市立博物館を探しています。
A: City Museum? Turn left at that café.	**A**：市立博物館？　あのカフェを左に曲がってください。
選択肢	選択肢訳
1. Thank you for your help.	**1.** ありがとう，助かりました。
2. That's my favorite one.	**2.** それは私のお気に入りです。
3. Yes, I think so, too.	**3.** ええ，私もそう思います。

解説 道案内の場面。女性の発言の最後の命令文は，市立博物館への行き方の説明。男性は道を教えてくれた女性に対し，お礼を言うのが自然。よって，選択肢 **1** が正解。最初のやりとりから，おじいさんは博物館への行き方を知らないことが分かるので，選択肢 **3** は不適切。

No.11 正解 2 　　　　　　　　　　　　　　　　　　　　　　　　　🔊 TR 65

🔊 放送文

A: I'm going to the night game with my sister. Let's go together.

B: No, I'm going to have dinner with my aunt.

A: How about your brother?

B: I think he's going to the game, too.

Question: Who will the woman eat dinner with?

🔊 放送文 **訳**

A: ぼくは妹とナイターに行く予定なんだ。いっしょに行こうよ。

B: ううん，私はおばさんと夕食をとるつもりなの。

A: きみのお兄さんは？

B: 彼はナイターに行くと思うわ。

質問: 女性は誰と夕食を食べるつもりですか。

選択肢訳 **1**. 彼女の妹。　**2**. 彼女のおばさん。　**3**. 彼女の兄。　**4**. 彼女の友だち。

解説 選択肢には人が並んでいるので，who の質問文が予測できる。男性の最初の発言 I'm going to ... は，I'm going to go to ... と同じ，近い未来の予定を表す現在進行形。選択肢 **3** はナイターに行く予定の人のため，不適切。選択肢 **4** については放送文中に出てこない。女性の最初の発言から，選択肢 **2** が正解。会話の have dinner を，質問文は eat dinner で言い換えていることに注意。

No.12 正解 1 　　　　　　　　　　　　　　　　　　　　　　　　　🔊 TR 66

🔊 放送文

A: Take me to this address, please.

B: Let me see it ... 37 Maple Street. OK.

A: How long will it take to get there?

B: It will take about 20 minutes.

Question: Where are they talking?

🔊 放送文 **訳**

A: この住所のところへ行ってください。

B: 見せてください…メイプル通り 37 番地ですね。分かりました。

A: そこへ行くのにどれくらい時間がかかりますか。

B: 20 分くらいです。

質問: 彼らはどこで話していますか。

選択肢訳 **1**. タクシーの中。　**2**. 列車の中。　**3**. 飛行機の中。　**4**. バスの中。

解説 選択肢には〈In[On] ＋乗り物名〉が並んでいるので，場所（乗り物）を聞かれる質問が予測できる。最初のやりとりに注意。乗客が運転手に住所のメモを見せて行き先を伝えている。バスではなくタクシーを表す選択肢 **1** が正解。このように，会話が行われている場所を答える問題では，選択肢の語句が会話中に出てこないことが多い。状況を推測しながら聞くことが大切。

模擬試験・解答と解説　リスニング

No.13 正解 3 ◀)) TR 67

◀))放送文

A: How much is this necklace?

B: It's usually 50 dollars. Today it's only 40 dollars. I'll give you 20 % off.

A: Really? I'll take it then.

B: Thank you very much.

Question: How much is the necklace today?

◀))放送文 訳

A: このネックレスはいくらですか。

B: ふだんは 50 ドルです。今日はたったの 40 ドルですよ。20%割引します。

A: 本当？ それならいただきます。

B: どうもありがとうございます。

質問: ネックレスは今日はいくらですか。

選択肢訳 **1**. 20 ドル。 **2**. 30 ドル。 **3**. 40 ドル。 **4**. 50 ドル。

解説 選択肢から価格をたずねる質問文だと推測できる。今日のネックレスの価格を問われている。よって選択肢 **3** が正解。選択肢 **4** はふだんの価格なので不適切。価格を表す数字を聞き取るだけでなく，「今日の価格」と「通常の価格」を区別して把握することが大切。～ % off「～%割引で」。

No.14 正解 4 ◀)) TR 68

◀))放送文

A: I'm going to a department store next Saturday.

B: Why are you going there?

A: I want to get a birthday present for my mom. We're having a surprise party for her next Sunday.

B: Sounds nice.

Question: What will the girl do on Sunday?

◀))放送文 訳

A: 私は今度の土曜日にデパートへ行くつもりよ。

B: なぜ行くの？

A: お母さんへの誕生日プレゼントを買いたいの。今度の日曜日はサプライズ・パーティーを開くつもりなんだ。

B: すてきだね。

質問: 女の子は日曜日に何をするつもりですか。

選択肢訳 **1**. デパートを訪れる。 **2**. プレゼントを買う。
3. 母親と買い物に行く。 **4**. 誕生日パーティーを開く。

解説 質問文の文末 on Sunday がポイント。日曜日の女の子の予定を選ぶので，選択肢 **4** が正解。選択肢 **1**, **2** は土曜日の予定。女の子の母親については，女の子の 2 番目の発言に「お母さんへの誕生日プレゼントを買いたい」とある。いっしょに買い物に行くとは言っていないため，選択肢 **3** も不適切。

No.15 **正解** 3　　　　　　　　　　　　　　　　　　◀))) TR 69

◀))) 放送文	◀))) 放送文 訳
A: Did you go to Canada in June?	**A**：きみは6月にカナダへ行ったの？
B: No, Ken. I went there in July.	**B**：ううん，ケン。7月に行ったわ。
A: It's nice in summer. I went there last August, too.	**A**：夏がいいよね。ぼくも昨年の8月にそこへ行ったんだ。
B: I agree.	**B**：私も同感よ。
Question: When did Ken go to Canada?	**質問**：ケンはいつカナダへ行きましたか。

選択肢訳 **1**．6月。　**2**．7月。　**3**．8月。　**4**．9月。

解説 選択肢がすべて時(月)を表すので，when で始まる質問文だと分かる。ケンがカナダを訪れたのは選択肢**3**の8月。選択肢**2**の7月は女の子がカナダを訪れた月，選択肢**4**は放送文中に出てこないため不適切。リスニング問題では，月名を問われる問題がよく出る。すべての月名を確実に覚え，聞き取れるようにしておこう。

No.16 **正解** 2　　　　　　　　　　　　　　　　　　◀))) TR 70

◀))) 放送文	◀))) 放送文 訳
A: John, be quiet! I can't study for tomorrow's test.	**A**：ジョン，静かにして！　明日のテストの勉強ができないわ。
B: I'm sorry, Emi.	**B**：ごめん，エミ。
A: Turn down that music or use your headset.	**A**：その音楽の音量を下げるか，ヘッドホンを使って。
B: All right.	**B**：分かったよ。
Question: Why is Emi angry?	**質問**：エミはなぜ怒っているのですか。

選択肢訳 **1**．彼女にはテストがあった。
　　　　　2．彼女は勉強ができない。
　　　　　3．彼女はその音楽が好きではない。
　　　　　4．彼女は自分のヘッドホンを壊した。

解説 エミが怒った理由を答える。quiet「静かな」，turn down that music「その音楽の音量を下げる」が手がかり。うるさくて勉強できないということなので，選択肢**2**が正解。選択肢**1**は，エミが勉強している理由であり，怒ったことの直接的な原因ではないので，不適切。

◀)) 放送文

A: Is this your dictionary?
B: Yes, Bob. My father gave it to me. What's wrong with your electronic dictionary?
A: It broke when my mother was using it.
B: That's too bad.
Question: Whose dictionary is the girl using?

◀)) 放送文 訳

A: これはきみの辞書？
B: ええ，ボブ。お父さんが私にくれたの。あなたの電子辞書はどうしたの？
A: お母さんが使っているときに壊れたんだ。
B: それは残念ね。
質問：女の子は誰の辞書を使っていますか。

選択肢訳 1. 彼女自身のもの。　　　2. 彼女の父親のもの。
　　　　　3. 彼女の母親のもの。　　　4. ボブのもの。

解説 選択肢はすべて「〜のもの」なので，whose で始まる質問文だと分かる。最初のやりとりに注意。女の子は，父親からもらった自分の辞書を使用しているので，選択肢 1 が正解。誤って選択肢 2 としないように注意。選択肢 3 については放送文中に出てこないため，不適切。

◀)) 放送文

A: Oh, I can't find my English textbook.
B: Laura, it's usually in your bag, right?
A: Yes, but it's not there.
B: I remember. I saw it on your desk!

Question: What is Laura looking for?

◀)) 放送文 訳

A: 英語の教科書が見つからないわ。
B: ローラ，それはたいていきみのかばんの中に入っているよね？
A: ええ，でもそこにないのよ。
B: 思い出した。ぼくはきみの机の上で見たよ！
質問：ローラは何を捜していますか。

選択肢訳 1. 腕時計。　 2. かばん。　 3. 教科書。　 4. 机。

解説 選択肢がすべて名詞なので，what で始まる質問文だと考えられる。最初の発言 I can't find my English textbook から，教科書を捜していると分かる。よって選択肢 3 が正解。選択肢 2, 4 はなくしたものではなく，もの（教科書）を捜した場所およびあった場所のため不適切。

◀))) 放送文

A: I feel cold.

B: Shall I get you a blanket?

A: No, thank you. I have to take my medicine. May I have some water?

B: OK.

Question: What is the man's problem?

◀))) 放送文 訳

A: 寒気がするんだ。

B: 毛布を持ってきましょうか。

A: ううん，いいよ。薬を飲まないといけないんだ。水をくれる？

B: 分かったわ。

質問：男性の問題は何ですか。

選択肢訳 **1**. 彼は気分が悪い。 **2**. 彼は毛布を必要としている。 **3**. 彼はとてものどがかわいている。 **4**. 彼は何か食べたい。

解説 What is *one's problem?* は人が困っていることをたずねる質問文。最初の I feel cold. がポイント。これを言い換えている選択肢 **1** が正解。男性は毛布を必要としてはいないため，選択肢 **2** は不適切。「水をくれる？」と言っているのは，薬を飲むためなので，選択肢 **3** も不適切。

◀))) 放送文

A: It was rainy this morning.

B: Yes, but it's cloudy now. Will it rain tonight?

A: Yes. It'll be rainy, then snowy later.

B: Really? It'll be very cold.

Question: How is the weather now?

◀))) 放送文 訳

A: 今朝は雨だったわね。

B: うん，でも今はくもりだよ。今晩は雨が降るのかな？

A: ええ。雨のち雪の予報よ。

B: そうなの？ とても寒くなるんだね。

質問：現在の天気はどうですか。

選択肢訳 **1**. 雨。 **2**. くもり。 **3**. 雪。 **4**. 晴れ。

解説 天気を表す選択肢から，how で始まる質問文だと考える。現在の天気は，男性の最初の発言から選択肢 **2** のくもり。今朝は雨で今晩は雨のち雪の予報なので，選択肢 **1**，**3** は不適切。放送文中では天気を表す語が複数出てくる。「時」と「天気」の組み合わせをメモしながら聞くとよい。いつの天気を聞かれているのか，質問文を最後まで正確に聞き取ることが重要。

No.21 正解 3

◀)) TR 76

◀)) 放送文

Last week, Kevin bought a new bike. He wanted to use it to go to school. But he broke his leg yesterday. So his mother will take him to school by car this week.

Question: How will Kevin go to school this week?

◀)) 放送文 訳

先週，ケビンは新しい自転車を買った。彼は通学のためにそれを使いたかった。しかし，彼は昨日，脚を骨折した。だから，今週は母親が彼を学校まで車で送る予定だ。

質問：ケビンは今週どうやって学校へ行く予定ですか。

選択肢訳 **1**. 自転車で。 **2**. 徒歩で。 **3**. 母親の車で。 **4**. 電車で。

解説 選択肢から，交通手段をたずねる質問文だと予想できる。最終文の his mother will take him to school by car に注意。これを言い表している選択肢 **3** が正解。「（人）の車で」は，by ではなく in を使って in *one's* car と表すことも覚えておこう。ケビンは自転車を買ったが脚を骨折したため，乗ることができないので選択肢 **1** は不適切。

No.22 正解 1

◀)) TR 77

◀)) 放送文

There was a big festival in my town last weekend. Many people came. They enjoyed dancing, eating and singing on the streets. At night I saw the fireworks with my family.

Question: What is the girl talking about?

◀)) 放送文 訳

先週末に私の町で大きなお祭りがありました。多くの人が来ました。彼らは路上で，踊ったり食べたり歌ったりして楽しんでいました。夜，私は家族と花火を見ました。

質問：女の子は何について話していますか。

選択肢訳 **1**. 町の祭り。 **2**. 地域の食べ物。 **3**. 大好きな歌。 **4**. 通りのたくさんの店。

解説 話題をたずねる問題は，What is ～ talking about? の質問文でよく出題される。最初の a big festival in my town がポイント。dancing, fireworks などの単語からも祭りの話題が続いていると分かる。選択肢 **1** が正解。

No.23 正解 4

🔊 TR 78

🔊)) 放送文

Beth has three dogs. They are Sam, Jake and Sally. Beth gave them food this morning. Sam and Jake ate a lot, but Sally ate nothing. She looked sick, so Beth took her to the animal doctor.

Question: Which dog didn't have breakfast?

🔊)) 放送文 訳

ベスは3匹の犬を飼っている。サム，ジェイク，サリーである。ベスは今朝犬たちにえさをやった。サムとジェイクはたくさん食べたが，サリーは何も食べなかった。サリーは具合が悪そうだったので，ベスは獣医のところへ連れて行った。

質問：どの犬が朝食を食べなかったのですか。

選択肢訳 **1**．ベス。 **2**．サム。 **3**．ジェイク。 **4**．サリー。

解説 質問文の didn't を集中して聞き取る。朝食を食べなかった犬を選ぶ。ベスは犬ではないので選択肢 **1** は不可。第4文前半 Sam and Jake ate a lot「サムとジェイクはたくさん食べた」から，選択肢 **2, 3** は不適切。後半の Sally ate nothing「サリーは何も食べなかった」から，選択肢 **4** が正解。

No.24 正解 2

🔊 TR 79

🔊)) 放送文

Thank you for coming to our summer sale. This announcement is for the mother of a lost girl whose name is Mary. She is waiting for you at the information desk. Will Mary's mother please come here?

Question: Where is the woman talking?

🔊)) 放送文 訳

サマーセールにお越しいただき，ありがとうございます。メアリーさんという迷子の女の子のお母様にお知らせいたします。お子様が案内所でお待ちです。メアリーさんのお母様はこちらまでお越しください。

質問：女性はどこで話していますか。

選択肢訳 **1**．図書館。 **2**．デパート。 **3**．レストラン。 **4**．映画館。

解説 選択肢から，場所をたずねる質問文，言いはじめからアナウンスだと分かる。放送場所は summer sale, the information desk から，買い物をするための商業施設だと考える。選択肢 **2** が正解。図書館やレストラン，映画館でセールはないので，選択肢 **1, 3, 4** は不可。

No.25 正解 1

◀))) 放送文

　Maya is usually tired and sleepy in the morning, because she doesn't have breakfast. She doesn't look good in class. Her teacher Mr. Yamada worries about her and tells her to eat breakfast every morning.

Question: What does Mr. Yamada tell Maya to do?

◀))) 放送文 訳

　マヤはたいてい午前中は疲れていて眠い。なぜなら彼女は朝ご飯を食べないからだ。彼女は授業中に元気がない。担任のヤマダ先生は彼女を心配し，彼女に毎朝，ご飯を食べるように言っている。

質問：ヤマダ先生はマヤに何をするように言っていますか。

選択肢訳 1．食事をとる。　　　　　　　　2．早く寝る。
　　　　　3．授業中は熱心に勉強する。　　4．よく眠る。

解説 〈tell ＋人＋ to *do* 〜〉は「（人）に〜するように言う」という意味。ヤマダ先生がマヤにするように言っていることを選ぶ。最終文の eat breakfast を have a meal と言い換えている選択肢 **1** が正解。選択肢 **2** 〜 **4** について，先生は何も言っていないので不適切。

No.26 正解 4

◀))) 放送文

　I'm a college student. I bought lunch before. Now I prepare my lunch by myself. I want to save some money because I plan to travel abroad in the summer.

Question: What does the student want to do next summer?

◀))) 放送文 訳

　私は大学生です。私は以前お昼ご飯を買っていました。今，私は自分でお弁当を用意しています。夏に海外旅行をするつもりなので，貯金をしたいと思っています。

質問：学生は今度の夏に何をしたいと思っていますか。

選択肢訳 1．留学する。　　　　　　2．自分の昼食を作る。
　　　　　3．貯金する。　　　　　　4．外国へ行く。

解説 学生の夏の予定を答える。in the summer は最終文にあるので, travel abroad「海外旅行をする」が答え。これを言い換えた選択肢 **4** が正解。選択肢 **3** は今度の夏ではなく，今したいことのため不適切。

No.27 正解 3

🔊 放送文

Ryan likes reading. He often goes to the library to borrow books. Yesterday, he started to work as a volunteer there. He read a picture book to small children.

Question: Why did the man visit the library yesterday?

🔊 放送文 訳

ライアンは読書が好きだ。彼はよく本を借りに図書館へ行く。昨日，彼はそこでボランティアとして働き始めた。彼は絵本を小さな子どもたちに読んであげた。

質問：その男性は昨日なぜ図書館を訪れましたか。

選択肢訳 1. 新聞を読むため。　2. 本を借りるため。
3. ボランティアとして働くため。　4. 絵を描くため。

解説 ライアンが昨日，図書館を訪れた理由を答える。Yesterday 以下から選択肢 3 が正解。選択肢 2 は，昨日ではなくふだん図書館へ行く理由なので不適切。選択肢 4 の picture（絵）と，picture book（絵本）を混同しないように注意。

No.28 正解 3
🔊 TR 83

🔊 放送文

I love Italian food. One day, I went to a nice restaurant with Kathy. We ordered a pizza. I ate five pieces and she ate three.

Question: How many pieces of pizza did the man eat?

🔊 放送文 訳

私はイタリア料理が大好きです。ある日，私はキャシーとおいしいレストランへ行きました。私たちはピザを注文しました。私は 5 切れ，彼女は 3 切れ食べました。

質問：男性はピザを何切れ食べましたか。

選択肢訳 1. 1 切れ。　2. 3 切れ。　3. 5 切れ。　4. 8 切れ。

解説 選択肢がすべて数詞なので，数をたずねる〈How many ＋名詞の複数形～ ?〉の質問文だと予想できる。数をメモに取りながら放送文を聞くとよい。the man ＝ I に注意。質問はキャシーではなく男性が食べたピザの数で，選択肢 3 が正解。選択肢 2 はキャシーが食べたピザの数のため，不適切。

No.29 正解 1

放送文

Ms. Brown went shopping last Sunday. In a shop, she liked a yellow hat, but it was too expensive. She bought a white one after all, because it went well with her red dress.

Question: What color hat did the woman buy?

放送文 訳

ブラウンさんはこの前の日曜日に買い物へ行った。ある店で彼女は黄色の帽子を気に入ったが，それは高すぎた。結局，彼女は白のものを買った。なぜならそれは彼女の赤いドレスに合うからだった。

質問：女性は何色の帽子を買いましたか。

選択肢訳 1. 白。 2. 黄。 3. 茶。 4. 赤。

解説 選択肢から，色に関する出題だと予測できる。女性が買った帽子の色を注意して聞き取る。buy の過去形は bought。最終文の bought a white one（＝ hat)から，選択肢 **1** の「白」が正解。女性は「ブラウンさん」，あきらめた帽子は「黄色」，ドレスが「赤」なので，選択肢 **2 ～ 4** は不可。

No.30 正解 3

TR 85

放送文

Mr. Thomas got home at 11:00 last night. He had a late dinner. After that, he watched TV and went to sleep on the sofa. This morning, he took a shower and went to work.

Question: When did Mr. Thomas take a shower?

放送文 訳

トーマスさんは昨晩 11 時に帰宅した。彼は遅い夕食をとった。そのあとテレビを見て，ソファーで眠った。今朝，彼はシャワーを浴びて出勤した。

質問：トーマスさんはいつシャワーを浴びましたか。

選択肢訳 1. 昨晩の夕食前。 2. 昨晩の夕食後。 3. 今朝。 4. 今晩。

解説 選択肢から，when で始まる質問だと推測できるので，メモを取りながら聞き，「時」と「行動」の組み合わせを把握する。take の過去形は took。最終文の took a shower に注目。選択肢 **3** が正解。

第 3 章

二次試験
面接

二次試験　面接

※試験内容などは変わる場合があります

● POINT

形　　式	受験者1名，面接委員1名の対面方式。「問題カード」を利用する
解答時間	約5分
傾　　向	採点は，パッセージを音読する「リーディング」，面接官の質問に答える「応答」，「態度」の3項目
対　　策	ふだんから個々の単語の発音やアクセント，文の区切りに気をつけて音読しよう。自分自身について英語で説明する練習も効果的なので，日頃から取り組もう

試験の流れ　※面接試験はすべて英語で行われます

(1) 入室
指示に従って面接室に入ります。指示に従って面接委員に問題カードを提出し，指示されてから着席します。

(2) 氏名と受験級の確認
面接委員が氏名，受験級の確認，簡単なあいさつをするので，英語で答えます。

(3) 問題カードの受け取りと黙読・音読
面接委員から問題カードを受け取り，２０秒間黙読したあとで音読します。

(4) 質疑応答
全部で５問あり内訳は，問題カードのパッセージから１問，イラストから２問，受験者の意見や受験者自身のことをたずねる問題が２問です。

(5) 問題カードの返却と退出
面接委員の指示に従って問題カードを返却し，あいさつをして退出します。

リーディング

テクニック❶　大きな声で，はっきりと読み上げよう！

　音読では，たとえ緊張していても，面接官に届く大きな声で，一語一語丁寧にはっきり読み上げましょう。そのときにとくに注意するのが「発音・アクセント」です。また，知らない単語が出てきても，そこで考え込んで止まったりせず，カンでもよいので声に出してください。

　リズムよく文を読むポイントは，意味のつながりごとで少し間をおいて，「文を区切る」ことです。次の例文を見てみましょう。/ が区切る箇所です。

Most dogs / need to go for a walk / every day.

質問への回答

テクニック❷　質問が分からなかったら聞き返す！

　大切なのは，「質問に対し適切に答える」ことです。もし質問の内容が聞き取れなかったら，間を置かずに **I beg your pardon?**「何とおっしゃいましたか？」と聞き返してください。1問につき1度であれば聞き返せます。

テクニック❸　間違った長い回答より，短くても正確な回答！

　How did you come here today?「今日はどうやって来ましたか？」と聞かれた場合，I came here by train. と答えられれば問題ありませんが，これを前置詞が分からず適当に I come to here by train. と言って間違えるよりは，By train. と簡潔に答えましょう。

　間違えると減点になるので，自分の知識の範囲内で正確に答えることが大切です。

質問への回答

テクニック❹　積極的になろう！

　「態度」とは「面接室に入ってから退室するまでの積極的な態度や反応」です。質問に答えることに集中していたり，緊張していたりするとつい忘れがちですが，ここでも点数がつくので気をつけましょう。

　具体的には，入室の際に，**May I come in?**「入ってよろしいですか？」と声をかけたり，面接委員ときちんと「アイコンタクト」をしたり，また余裕があれば「自然な笑顔」で応対したりします。ただ，面接試験では**緊張するのが当たり前**なので，そんなときは無理に笑顔を作ろうとせず「自然な態度」を心がけてください。

例題

学習日	試験時間
/	約 **5** 分

※問題形式などは変わる場合があります。

🔊 TR 88

Reading Books

Reading books is popular. Many people use libraries, and some people enjoy reading books on the computer. It is fun to learn new things from books, so people like to read them.

🔊 TR 89 〜 TR 93　　（問題カードにはここまでが記載されています）

No. 1　Please look at the passage. What do some people enjoy doing?

No. 2　Please look at the picture. How many glasses is the woman carrying?

No. 3　Please look at the young man. What is he doing?

Now, please turn the card over.

No. 4　What did you do yesterday?

No. 5　Do you like to watch TV?

　　　　Yes. → Please tell me more. / No. → Why not?

訳　　　　　　　　　　　　　　　　　**読書**

　本を読むことは人気がある。多くの人が図書館を利用し、コンピューターで本を読んで楽しむ人もいる。本から新しいことを学ぶのは楽しいので、人々はそれらを読むのが好きだ。

解答と解説　🔊 TR 89 〜 TR 93

No. 1 質問訳 文章を見てください。一部の人は何をして楽しんでいますか。
解答例 They enjoy reading books on the computer.
訳 彼らはコンピューターで本を読んで楽しみます。

解説 問題カード第2文後半に関する質問。何をして楽しんでいるかを答える。質問の主語 some people は，they に置き換える。

No. 2 質問訳 イラストを見てください。女性はいくつグラスを運んでいますか。
解答例 She is carrying two glasses.
訳 彼女はグラスを2つ運んでいます。

解説 イラストに関する問題。How many glasses 〜 ? より，グラスの数を答える。質問文の主語 the woman は，she に置き換える。イラストでは 2つ運んでいるので，two glasses。glass の複数形は es をつける。

No. 3 質問訳 若い男性を見てください。彼は何をしていますか。
解答例 He is listening to music.
訳 彼は音楽を聞いています。

解説 イラストに関する問題。若い男性は音楽を聞いている。「音楽を聞く」は listen to music。質問は現在進行形なので，現在進行形 is listening を使って答える。

No. 4 質問訳 あなたは昨日，何をしましたか。
解答例 I practiced soccer.
訳 私はサッカーの練習をしました。

解説 自分自身が昨日したことを問われているので，〈I ＋動詞の過去形〜 .〉の形で答える。動詞の過去形の発音に注意しよう。

No. 5 質問訳 あなたはテレビを見るのが好きですか。　はい。→もっとくわしく教えてください。／いいえ。→なぜ好きではないのですか。
解答例 Yes. → I often watch baseball games.
訳 はい。→私はよく野球の試合を見ます。
解答例 No. → Because watching TV is boring.
訳 いいえ。→テレビを見るのは退屈だからです。

解説 Yes. の場合は，好きな番組の話題を展開するとよい。
No. の場合は，テレビが好きではない理由を答えよう。

著者

有馬一朗　ありま いちろう

千葉大学卒業。大手保険会社勤務時に独学で英検1級を取得。退社後、進学塾勤務を経て独立。「小学3年生で英検準1級合格」「公立中学3年生で英語内申点3の生徒を半年の指導で英検2級に合格」「英検4級不合格直後の高3生を4か月の指導で英検準2級に合格」といった成果を上げて多くの生徒・父兄から感謝されている。
メールアドレス：info@arimax.biz
〈著書〉
『一問一答　英検®2級 完全攻略問題集 音声DL版』『同準2級』『同3級』（高橋書店）
『英検3級に受かったら一気に2級をめざせる本』（扶桑社　大谷優平の別名）

※英検®は、公益財団法人 日本英語検定協会の登録商標です。
※このコンテンツは、公益財団法人 日本英語検定協会の承認や推奨、その他の検討を受けたものではありません。

本書は2023年9月に発刊した書籍を、2024年度の試験リニューアルに合わせて加筆・訂正した改訂版です。

一問一答　英検®3級 完全攻略問題集 音声DL版

著　者　有馬一朗
発行者　清水美成
編集者　根本真由美
発行所　**株式会社 高橋書店**
　　　　〒170-6014 東京都豊島区東池袋3-1-1 サンシャイン60 14階
　　　　電話　03-5957-7103

ISBN978-4-471-27597-6　ⓒTAKAHASHI SHOTEN　Printed in Japan

本書の内容についてのご質問は「書名、質問事項（ページ、内容）、お客様のご連絡先」を明記のうえ、郵送、FAX、ホームページお問い合わせフォームから小社へお送りください。
回答にはお時間をいただく場合がございます。また、電話によるお問い合わせ、本書の内容を超えたご質問にはお答えできませんので、ご了承ください。本書に関する正誤等の情報は、小社ホームページもご参照ください。

【内容についての問い合わせ先】
　書　面　〒170-6014 東京都豊島区東池袋3-1-1 サンシャイン60 14階　高橋書店編集部
　FAX　03-5957-7079
　メール　小社ホームページお問い合わせフォームから　（https://www.takahashishoten.co.jp/）

【不良品についての問い合わせ先】
　ページの順序間違い・抜けなど物理的欠陥がございましたら、電話03-5957-7076へお問い合わせください。
　ただし、古書店等で購入・入手された商品の交換には一切応じられません。